하루 10분 서술형/문장제 학습지

씨투엠

수학 독해

C2

곱셈과 나눗셈

초3~초4

씨투엠

수학독해 : 수학을 스스로 읽고 해결하다

객관식이나 간단한 단답형 문제는 자신 있는데 긴 문장이나 풀이 과정을 쓰라는 문제는 어려워하는 아이들이 있어요. 빠르고 정확하게 연산하고 교과 응용문제까지도 곧잘 풀어내지만, 문제 속 상황이 약간만 복잡해지면 문제를 풀려고도 하지 않는 아이들도 많아요. 이러한 아이들에게 부족한 것은 연산 능력이나 문제 해결력보다는 독해력과 표현력입니다. 특히 수학적 텍스트를 이해하고 표현하는 능력, 즉 수학 독해력이지요.

요즘 아이들의 독해력이 약해진 가장 큰 이유는 과거에 비해 이야기를 만나는 방식이 다양해졌기 때문이에요. 예전에는 대부분 말이나 글로써만 이야기를 접했어요. 텍스트 위주로 여러 가지 사건을 간접 체험하고, 머릿 속으로 상황을 그려내는 훈련이 자연스럽게 이루어졌지요. 반면 요즘 아이들은 글보다도 TV나 스마트폰 등 영상매체에 훨씬 빨리, 자주 노출되기에 글을 통해 상상을 할 필요가 점점 없어지게 되었습니다.

그렇다고 아이들에게 어렸을 때부터 영화나 애니메이션을 못 보게 하고 책만 읽게 하는 것은 바람직하지 않고, 가능하지도 않아요. 시각 매체는 그 자체로 많은 장점이 있기 때문에 지금의 아이들은 예전 세대에 비해 이미지에 대한 이해력과 적용력이 매우 뛰어나답니다. 문제는 아직까지 모든 학습과 평가 방식이 여전히 텍스트 위주이기 때문에 지금도 아이들에게 독해력이 중요하다는 점이에요. 그래서 저희는 영상 매체에는 익숙하지만 말이나 글에는 약한 아이들을 위한 새로운 수학 독해력 향상 프로그램인 씨투엠 수학독해를 기획하게 되었어요.

씨투엠 수학독해는 기존 문장제/서술형 교재들보다 더욱 쉽고 간단한 학습법을 보여주려 해요. 문제에 있는 문장과 표현 하나하나마다 따로 접근하여 아이들이 어려워하는 포인트를 찾고, 각 포인트마다 직관적인 활동을 통해 독해력과 표현력을 차근차근 끌어올리려고 합니다. 또한 문제 이해와 풀이 서술 과정을 단계별로 세세하게 나누어 문장제, 서술형 문제를 부담 없이 체계적으로 연습할 수 있어요. 새로운 문장제 학습법인 씨투엠 수학독해가 문장제 문제에 특히 어려움을 겪고 있거나 앞으로 서술형 문제를 좀 더 잘 대비하고 싶은 아이들에게 큰 도움이 될 것이라 자신합니다.

씨투엠

수학독해의 구성과 특징

- 매일 부담없이 2쪽씩, 하루 10분 문장제 학습
- 매주 5일간 단계별 활동, 6일차는 중요 문장제 확인학습
- 5회분의 진단평가로 테스트 및 복습

주차별 구성

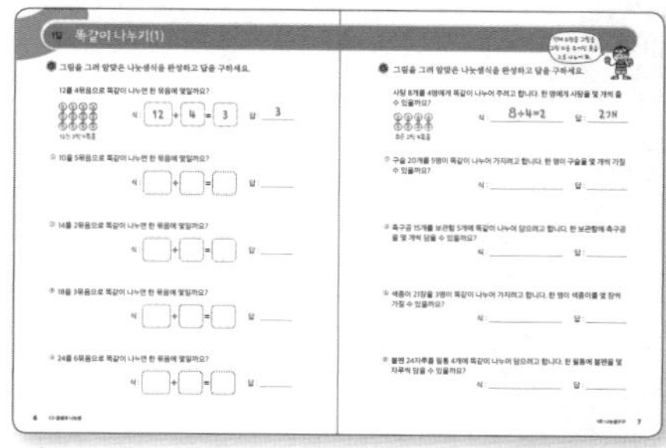

일일학습

꼬마 수학자들의 간단한 팁과 함께 매일 새롭게 만나는 단계별 문장제 활동

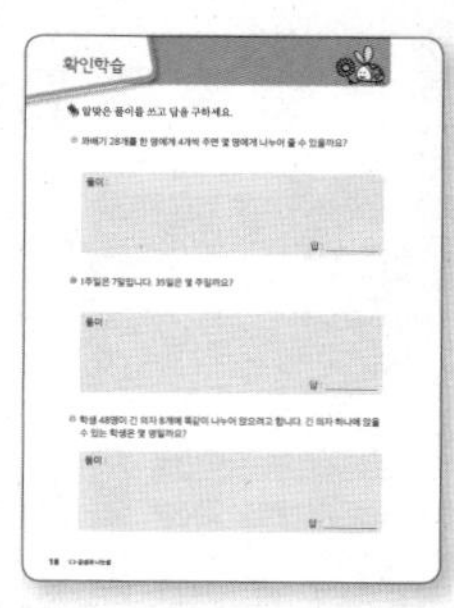

확인학습

중요 문장제 활동을 다시 한번 확인하며 주차 학습 마무리

주차	1일	2일	3일	4일	5일	확인학습
1주차	6쪽 ~ 7쪽	8쪽 ~ 9쪽	10쪽 ~ 11쪽	12쪽 ~ 13쪽	14쪽 ~ 15쪽	16쪽 ~ 18쪽
2주차	20쪽 ~ 21쪽	22쪽 ~ 23쪽	24쪽 ~ 25쪽	26쪽 ~ 27쪽	28쪽 ~ 29쪽	30쪽 ~ 32쪽
3주차	34쪽 ~ 35쪽	36쪽 ~ 37쪽	38쪽 ~ 39쪽	40쪽 ~ 41쪽	42쪽 ~ 43쪽	44쪽 ~ 46쪽
4주차	48쪽 ~ 49쪽	50쪽 ~ 51쪽	52쪽 ~ 53쪽	54쪽 ~ 55쪽	56쪽 ~ 57쪽	58쪽 ~ 60쪽

진단평가 구성

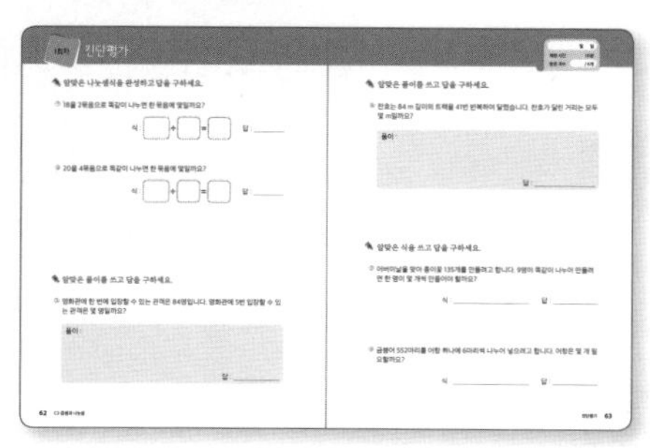

진단평가

4주 간의 문장제 학습에서 부족한 부분을 확인하고 복습하기 위한 자가 진단 테스트

진단평가	1회	2회	3회	4회	5회
	62쪽 ~ 63쪽	64쪽 ~ 65쪽	66쪽 ~ 67쪽	68쪽 ~ 69쪽	70쪽 ~ 71쪽

이 책의 차례

1주차

나눗셈구구

1일 똑같이 나누기(1)

그림을 그려 알맞은 나눗셈식을 완성하고 답을 구하세요.

12를 4묶음으로 똑같이 나누면 한 묶음에 몇일까요?

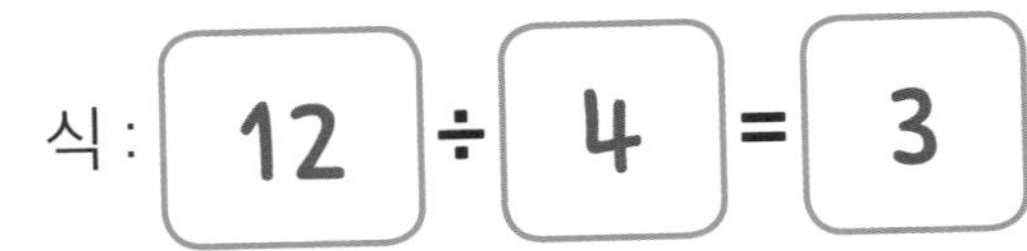

답 : 3

① 10을 5묶음으로 똑같이 나누면 한 묶음에 몇일까요?

식 : ☐ ÷ ☐ = ☐ 답 : ______

② 14를 2묶음으로 똑같이 나누면 한 묶음에 몇일까요?

식 : ☐ ÷ ☐ = ☐ 답 : ______

③ 18을 3묶음으로 똑같이 나누면 한 묶음에 몇일까요?

식 : ☐ ÷ ☐ = ☐ 답 : ______

④ 24를 6묶음으로 똑같이 나누면 한 묶음에 몇일까요?

식 : ☐ ÷ ☐ = ☐ 답 : ______

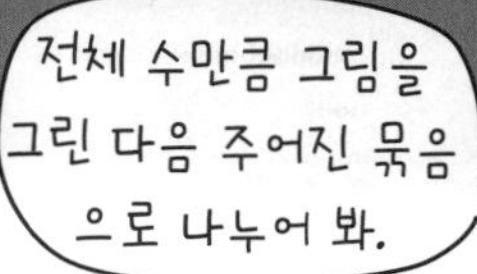

전체 수만큼 그림을
그린 다음 주어진 묶음
으로 나누어 봐.

그림을 그려 알맞은 나눗셈식을 완성하고 답을 구하세요.

사탕 8개를 4명에게 똑같이 나누어 주려고 합니다. 한 명에게 사탕을 몇 개씩 줄 수 있을까요?

8은 2씩 4묶음

식 : 8÷4=2　　답 : 2개

① 구슬 20개를 5명이 똑같이 나누어 가지려고 합니다. 한 명이 구슬을 몇 개씩 가질 수 있을까요?

식 : ________　　답 : ________

② 축구공 15개를 보관함 5개에 똑같이 나누어 담으려고 합니다. 한 보관함에 축구공을 몇 개씩 담을 수 있을까요?

식 : ________　　답 : ________

③ 색종이 21장을 3명이 똑같이 나누어 가지려고 합니다. 한 명이 색종이를 몇 장씩 가질 수 있을까요?

식 : ________　　답 : ________

④ 볼펜 24자루를 필통 4개에 똑같이 나누어 담으려고 합니다. 한 필통에 볼펜을 몇 자루씩 담을 수 있을까요?

식 : ________　　답 : ________

2일 똑같이 나누기(2)

알맞은 뺄셈식과 나눗셈식을 완성하고 답을 구하세요.

18에서 3을 몇 번 빼면 0이 될까요?

1번 2번 3번 4번 5번 6번

뺄셈식 : $18-3-3-3-3-3-3=0$

나눗셈식 : $18 \div 3=6$ 답 : 6번

① 20에서 4를 몇 번 빼면 0이 될까요?

뺄셈식 : ______

나눗셈식 : ______ 답 : ______

② 21에서 7을 몇 번 빼면 0이 될까요?

뺄셈식 : ______

나눗셈식 : ______ 답 : ______

③ 32에서 8을 몇 번 빼면 0이 될까요?

뺄셈식 : ______

나눗셈식 : ______ 답 : ______

알맞은 뺄셈식과 나눗셈식을 완성하고 답을 구하세요.

복숭아 24개를 한 봉지에 6개씩 담으려고 합니다. 봉지는 몇 장 필요할까요?

1장 2장 3장 4장

뺄셈식 : 24−6−6−6−6=0

나눗셈식 : 24÷6=4 답 : 4장

① 장미 9송이를 한 명에게 3송이씩 주려고 합니다. 몇 명에게 나누어 줄 수 있을까요?

뺄셈식 : ______

나눗셈식 : ______ 답 : ______

② 28쪽짜리 책을 하루에 7쪽씩 매일 읽으려고 합니다. 이 책을 모두 읽으려면 며칠이 걸릴까요?

뺄셈식 : ______

나눗셈식 : ______ 답 : ______

③ 우유 15병을 한 상자에 3병씩 담으려고 합니다. 상자는 몇 상자 필요할까요?

뺄셈식 : ______

나눗셈식 : ______ 답 : ______

곱셈식과 나눗셈식

곱셈식을 나눗셈식 2개로 나타내어 보세요.

$\underset{가}{3} \times \underset{나}{5} = \underset{다}{15}$ → $\underset{다}{15} \div \underset{가}{3} = \underset{나}{5}$, $\underset{다}{15} \div \underset{나}{5} = \underset{가}{3}$

① $2 \times 9 = 18$ → $\square \div \square = \square$, $\square \div \square = \square$

② $5 \times 6 = 30$ → $\square \div \square = \square$, $\square \div \square = \square$

③ $7 \times 3 = 21$ → $\square \div \square = \square$, $\square \div \square = \square$

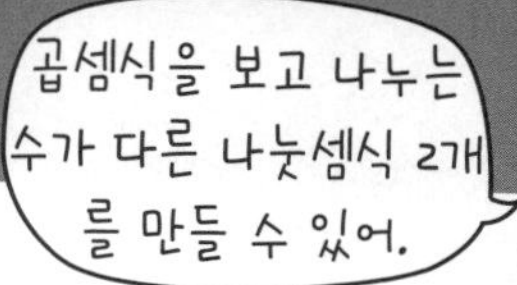

곱셈식을 보고 나누는
수가 다른 나눗셈식 2개
를 만들 수 있어.

주어진 곱셈식에 알맞은 나눗셈식을 쓰고 답을 구하세요.

4×6=24

수박 24통을 4상자에 똑같이 나누어 담으면 한 상자에 몇 통씩 담을 수 있을까요?

식 : 24÷4=6　　답 : 6통

수박 24통을 한 상자에 6통씩 담으면 몇 상자에 나누어 담을 수 있을까요?

식 : 24÷6=4　　답 : 4상자

5×7=35

① 색종이 35장을 5명에게 똑같이 나누어 주면 몇 장씩 줄 수 있을까요?

식 : ______　　답 : ______

② 색종이 35장을 한 명에게 7장씩 주면 몇 명에게 나누어 줄 수 있을까요?

식 : ______　　답 : ______

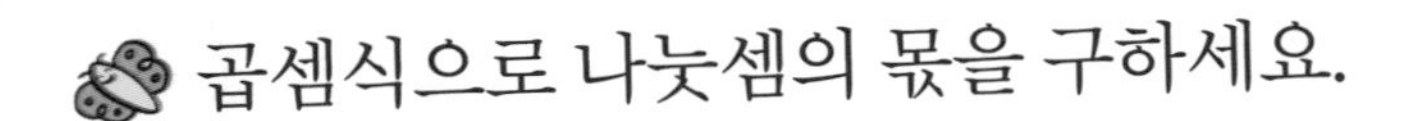

4일 몫 구하기

곱셈식으로 나눗셈의 몫을 구하세요.

색연필 35자루를 5명에게 똑같이 나누어 주면 한 명에게 몇 자루씩 줄 수 있을까요?

나눗셈식 : $35 \div 5 = 7$

곱셈식 : $5 \times 7 = 35$ 답 : 7자루

① 인형 16개를 한 명에게 2개씩 주면 몇 명에게 나누어 줄 수 있을까요?

나눗셈식 : ______________

곱셈식 : ______________ 답 : ________

② 아이스크림 20개를 4봉지에 똑같이 나누어 담으면 한 봉지에 몇 개씩 담을 수 있을까요?

나눗셈식 : ______________

곱셈식 : ______________ 답 : ________

③ 빈 병 25개를 한 상자에 5개씩 담으면 몇 상자에 나누어 담을 수 있을까요?

나눗셈식 : ______________

곱셈식 : ______________ 답 : ________

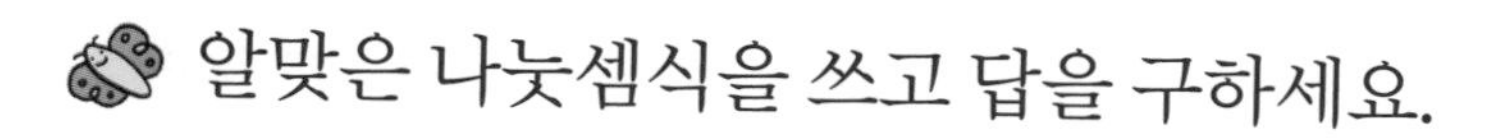

알맞은 나눗셈식을 쓰고 답을 구하세요.

사과 48개가 한 줄에 8개씩 놓여 있습니다. 사과는 몇 줄 놓여 있을까요?

식 : $48 \div 8 = 6$　　답 : 6줄

$8 \times 6 = 48$

① 스티커 28장을 4명에게 똑같이 나누어 주면 한 명에게 몇 장씩 줄 수 있을까요?

식 : ____________　　답 : ________

② 파인애플 18개를 한 명에게 6개씩 주면 몇 명에게 나누어 줄 수 있을까요?

식 : ____________　　답 : ________

③ 쿠키 40개를 5접시에 똑같이 나누어 담으면 한 접시에 몇 개씩 담을 수 있을까요?

식 : ____________　　답 : ________

④ 36쪽짜리 책을 하루에 4쪽씩 매일 읽으면 책을 다 읽는 데 며칠이 걸릴까요?

식 : ____________　　답 : ________

5일 나눗셈 풀이

❀ 알맞은 풀이를 쓰고 답을 구하세요.

공책 54권을 6명에게 똑같이 나누어 주면 한 명에게 몇 권씩 줄 수 있을까요?

풀이 : (한 명에게 줄 수 있는 공책 수)
= (전체 공책 수) ÷ (사람 수)
= 54 ÷ 6 = 9(권)

답 : 9권

① 가지 36개를 한 바구니에 6개씩 나누어 담으려고 합니다. 바구니는 몇 개가 필요할까요?

풀이 :

답 : ________

② 주스 24잔을 8명이 똑같이 나누어 마시면 한 명이 몇 잔씩 마실 수 있을까요?

풀이 :

답 : ________

나누어지는 수와
나누는 수를 각각 찾은
후 몫을 구해야 해.

③ 냉장고에 있는 달걀 16개를 하루에 2개씩 매일 먹으려고 합니다. 달걀을 모두 먹으려면 며칠이 걸릴까요?

풀이 :

답 : ______

④ 길이가 45 cm인 색 테이프를 9도막으로 똑같이 나누었습니다. 한 도막의 길이는 몇 cm일까요?

풀이 :

답 : ______

⑤ 오리 보트에 6명이 탈 수 있습니다. 민진이네 반 학생 30명이 모두 타려면 오리 보트 몇 대가 필요할까요?

풀이 :

답 : ______

확인학습

알맞은 나눗셈식을 완성하고 답을 구하세요.

① 15를 3묶음으로 똑같이 나누면 한 묶음에 몇일까요?

식 : ☐ ÷ ☐ = ☐ 답 : ______

② 21을 7묶음으로 똑같이 나누면 한 묶음에 몇일까요?

식 : ☐ ÷ ☐ = ☐ 답 : ______

알맞은 뺄셈식과 나눗셈식을 완성하고 답을 구하세요.

③ 12에서 6을 몇 번 빼면 0이 될까요?

뺄셈식 : ______

나눗셈식 : ______ 답 : ______

④ 28에서 4를 몇 번 빼면 0이 될까요?

뺄셈식 : ______

나눗셈식 : ______ 답 : ______

주어진 곱셈식에 알맞은 나눗셈식을 쓰고 답을 구하세요.

9×3=27

⑤ 딸기 27개를 3접시에 똑같이 나누어 담으면 한 접시에 몇 개씩 담을 수 있을까요?

식 : ____________________ 답 : ____________

⑥ 딸기 27개를 한 접시에 9개씩 담으면 몇 접시에 나누어 담을 수 있을까요?

식 : ____________________ 답 : ____________

알맞은 나눗셈식을 쓰고 답을 구하세요.

⑦ 나무 18그루를 2줄에 똑같이 나누어 심으면 한 줄에 몇 그루씩 심을 수 있을까요?

식 : ____________________ 답 : ____________

⑧ 달걀 56개를 한 명에게 8개씩 주면 몇 명에게 나누어 줄 수 있을까요?

식 : ____________________ 답 : ____________

확인학습

✎ 알맞은 풀이를 쓰고 답을 구하세요.

⑨ 꽈배기 28개를 한 명에게 4개씩 주면 몇 명에게 나누어 줄 수 있을까요?

풀이 :

답 : ____________

⑩ 1주일은 7일입니다. 35일은 몇 주일까요?

풀이 :

답 : ____________

⑪ 학생 48명이 긴 의자 8개에 똑같이 나누어 앉으려고 합니다. 긴 의자 하나에 앉을 수 있는 학생은 몇 명일까요?

풀이 :

답 : ____________

2주차

곱셈(1)

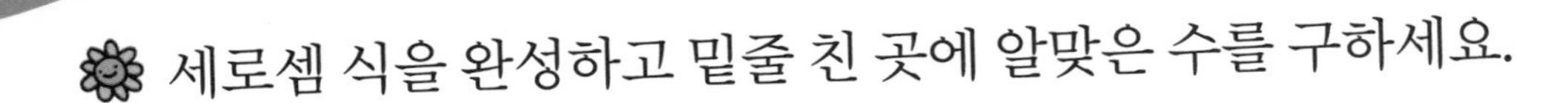

1일 (몇십)×(몇)

세로셈 식을 완성하고 밑줄 친 곳에 알맞은 수를 구하세요.

20 곱하기 3은 ___60___ 입니다.

$$\begin{array}{r} 2\,0 \\ \times\quad 3 \\ \hline 6\,0 \end{array}$$

2×3=6

① 40 곱하기 2는 ________ 입니다.

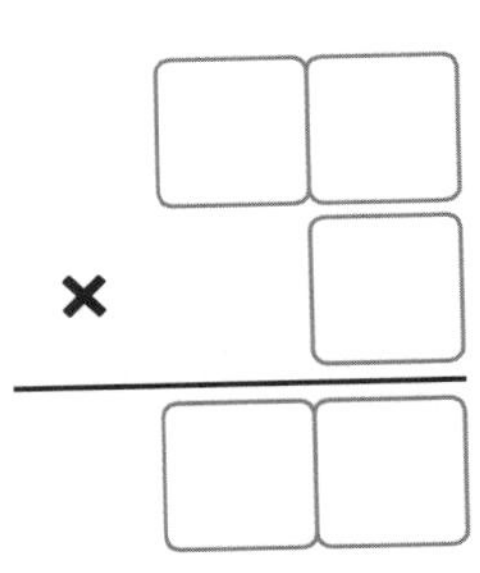

② 60의 3배는 ________ 입니다.

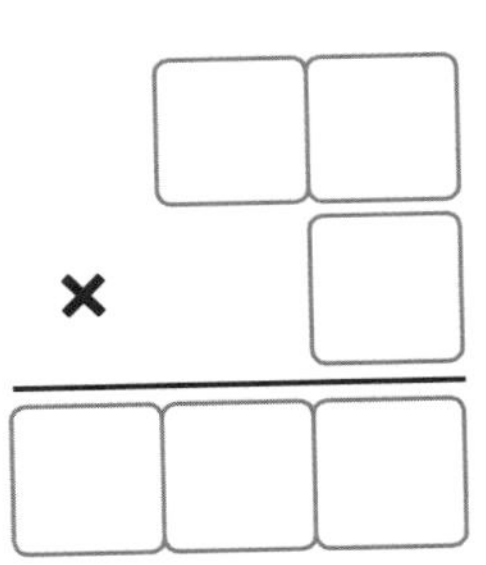

③ 70씩 5묶음은 ________ 입니다.

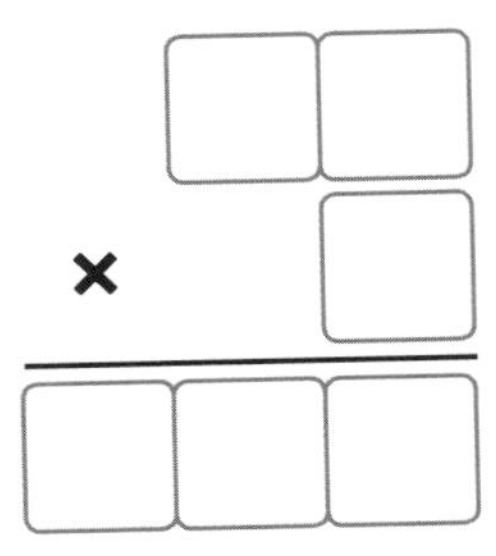

몇십의 십의 자리와
몇을 곱한 후 일의 자리
에 0을 넣으면 돼.

알맞은 식을 쓰고 답을 구하세요.

초콜릿이 한 상자에 20개씩 5상자 있습니다. 초콜릿은 모두 몇 개일까요?

식 :

	2	0
×		5
1	0	0

답 : 100개

① 현지는 색종이를 60장 가지고 있고, 주온이는 현지가 가진 색종이 수의 2배만큼 가지고 있습니다. 주온이가 가진 색종이는 몇 장일까요?

식 :

답 :

② 길이가 40 cm인 색 테이프 8장이 있습니다. 색 테이프를 겹치지 않고 모두 이어 붙인 길이는 몇 cm일까요?

식 :

답 :

③ 한 조에 50명씩 5개 조의 학생들이 캠핑장에 있습니다. 캠핑장에 있는 학생들은 모두 몇 명일까요?

식 :

답 :

2일 (몇십몇)×(몇)(1)

 세로셈 식을 완성하고 밑줄 친 곳에 알맞은 수를 구하세요.

12의 4배는 ___48___ 입니다.

$$\begin{array}{r} 12 \\ \times \quad 4 \\ \hline 48 \end{array}$$

1×4=4 2×4=8

① 24 곱하기 2는 ________ 입니다.

② 21의 4배는 ________ 입니다.

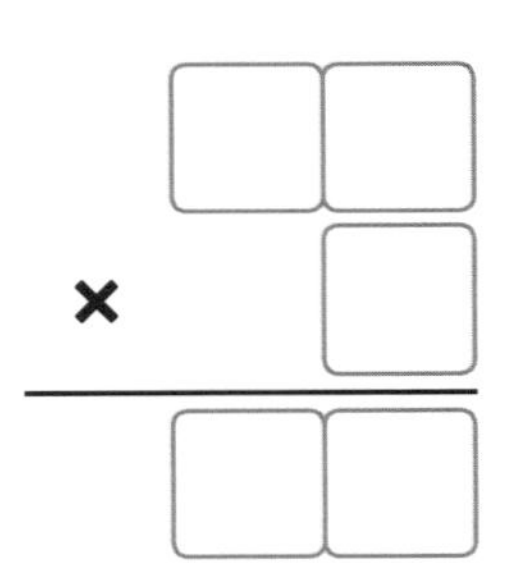

③ 13씩 3묶음은 ________ 입니다.

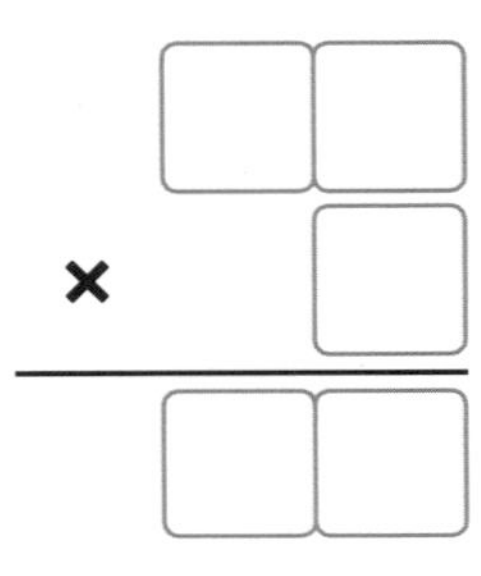

일의 자리를 몇과
곱한 다음, 십의 자리를
몇과 곱하면 돼.

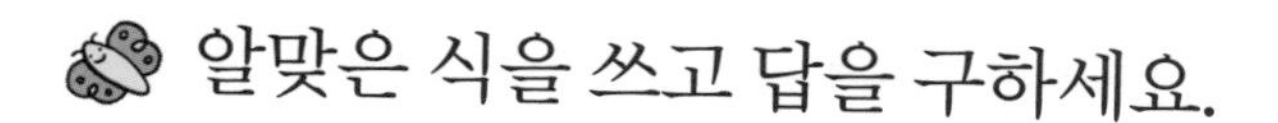

우람이는 11살이고, 우람이 할머니의 나이는 우람이 나이의 7배입니다. 할머니의 나이는 몇 살일까요?

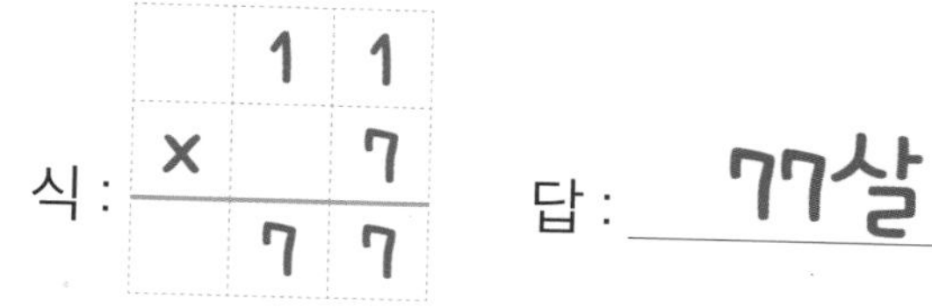

식 :

	1	1
×		7
	7	7

답 : 77살

① 곶감이 한 상자에 23개씩 3상자 있습니다. 곶감은 모두 몇 개일까요?

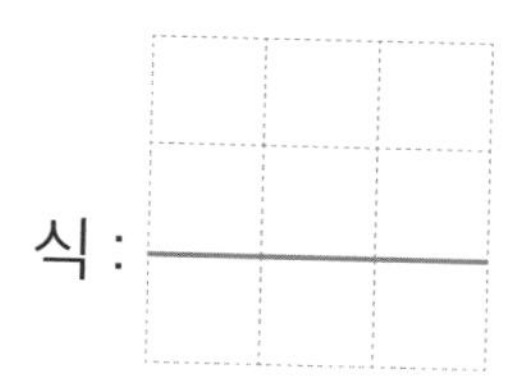

식 :　　　답 :

② 희수의 몸무게는 41 kg이고, 희수 아빠의 몸무게는 희수 몸무게의 2배입니다. 희수 아빠는 몇 kg일까요?

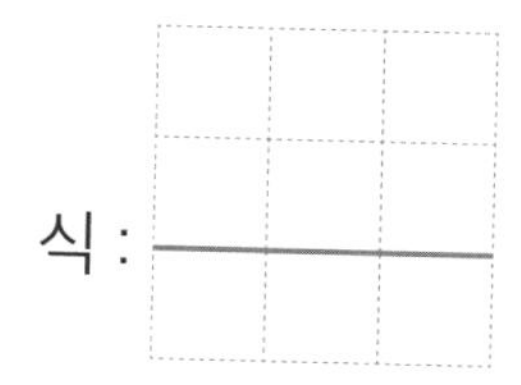

식 :　　　답 :

③ 경수는 소설책을 하루에 12쪽씩 읽었습니다. 경수가 3일 동안 읽은 소설책은 모두 몇 쪽일까요?

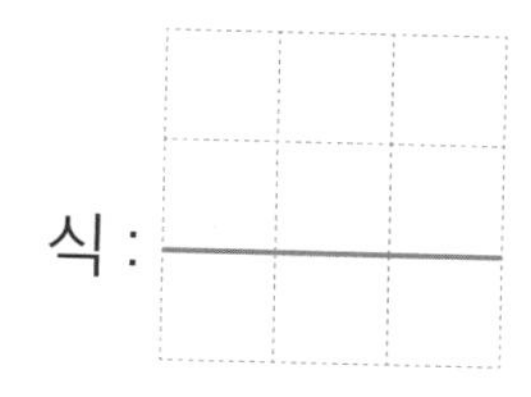

식 :　　　답 :

3일 (몇십몇)×(몇)(2)

세로셈 식을 완성하고 밑줄 친 곳에 알맞은 수를 구하세요.

24씩 3 묶음은 72 입니다.

	1	
	2	4
×		3
	7	2
	2×3=6	4×3=12

① 17 곱하기 5는 ______ 입니다.

② 21의 7배는 ______ 입니다.

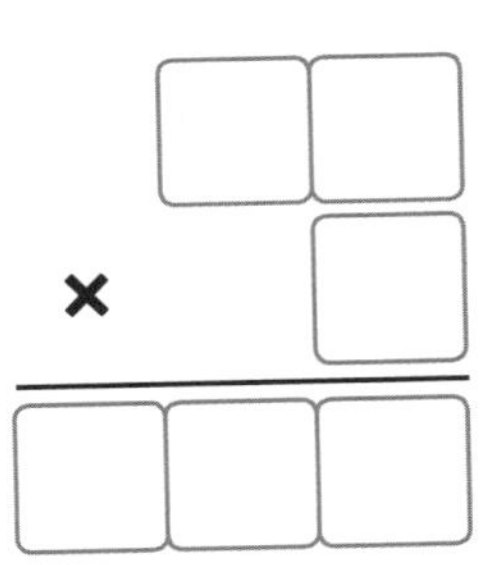

③ 32씩 4묶음은 ______ 입니다.

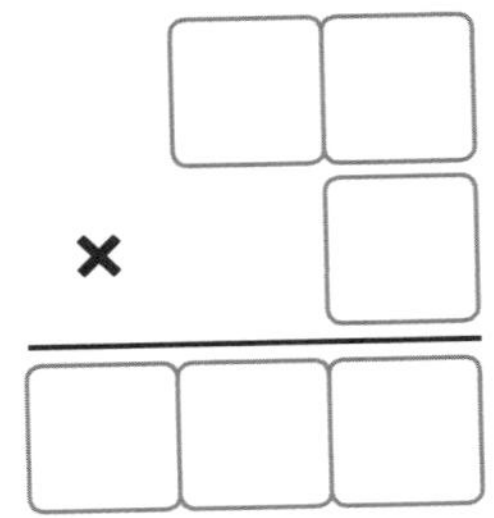

알맞은 식을 쓰고 답을 구하세요.

주아는 하루에 종이비행기를 13개씩 접습니다. 주아가 일주일 동안 접는 종이비행기는 모두 몇 개일까요?

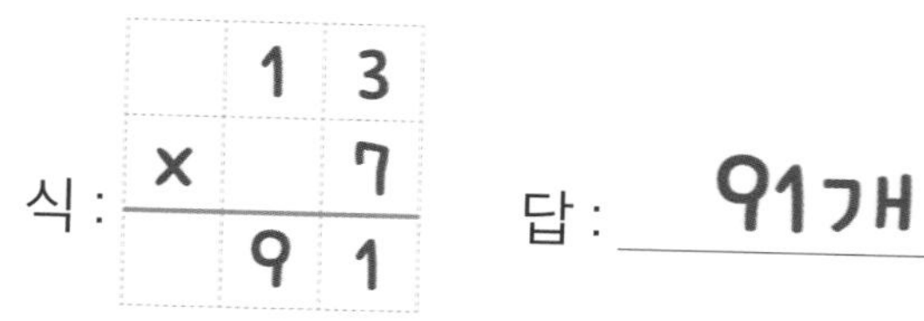

① 키가 38 cm인 나무가 한 달 동안 키가 2배로 자랐습니다. 나무의 키는 몇 cm일까요?

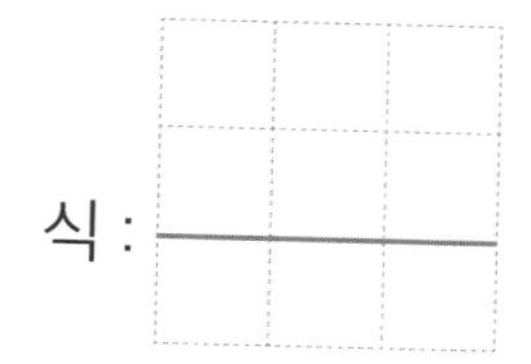

식 : 　　　답 : ____________

② 3학년 각 반에 공책 41권을 나누어 주려고 합니다. 3학년은 5반까지 있을 때 필요한 공책은 모두 몇 권일까요?

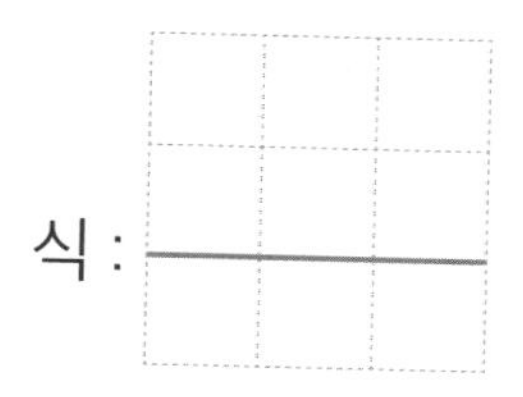

식 : 　　　답 : ____________

③ 어느 나라의 공주는 구두를 63켤레 가지고 있고, 왕비는 공주가 가진 구두 수의 3배만큼 구두를 가지고 있습니다. 왕비가 가진 구두는 몇 켤레일까요?

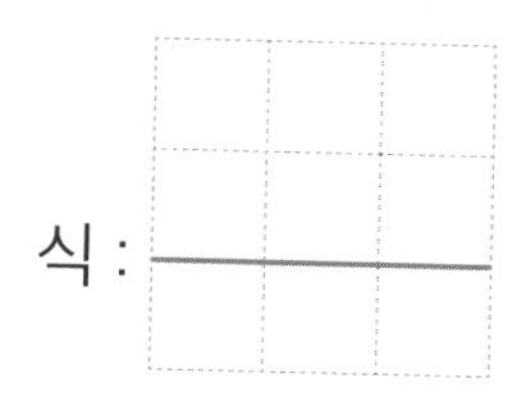

식 : 　　　답 : ____________

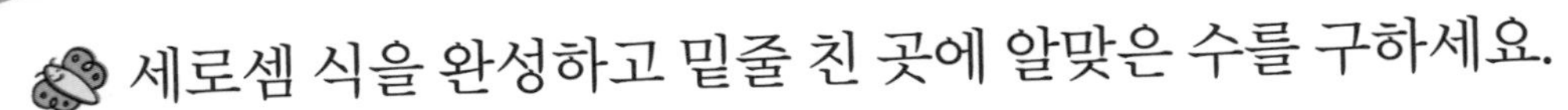

4일 (몇십몇)×(몇)(3)

세로셈 식을 완성하고 밑줄 친 곳에 알맞은 수를 구하세요.

34 곱하기 5는 170 입니다.

$$\begin{array}{r} {}^{2} \\ 34 \\ \times\ \ 5 \\ \hline 170 \end{array}$$

3×5=15 4×5=20

① 28 곱하기 6은 ________ 입니다.

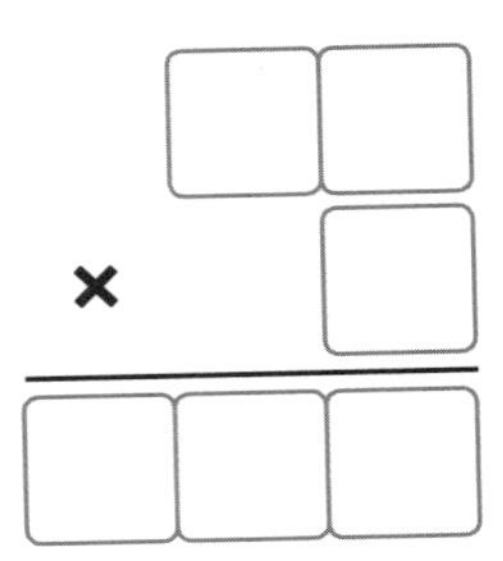

② 73의 4배는 ________ 입니다.

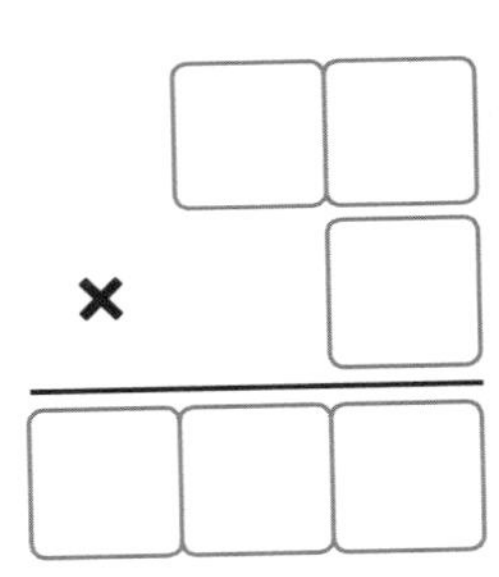

③ 56씩 7묶음은 ________ 입니다.

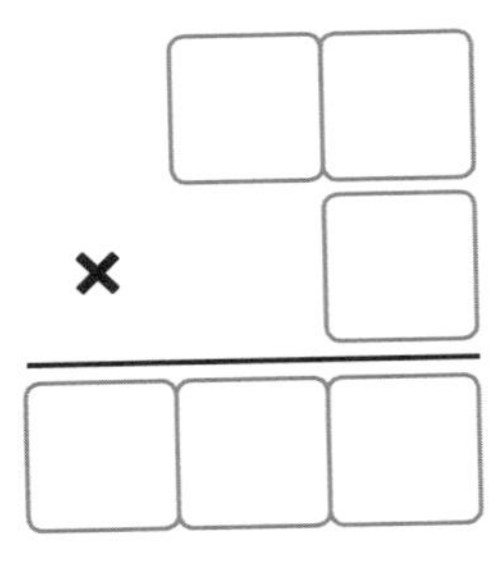

올림이 2번 있는
경우 일의 자리, 십의 자
리 순서로 해야 해.

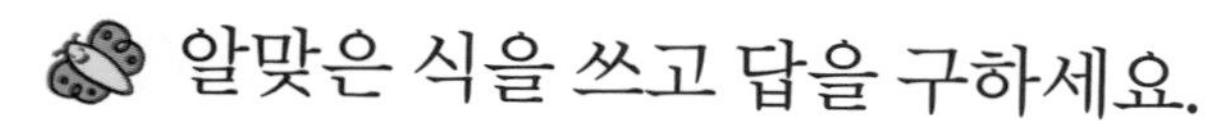
알맞은 식을 쓰고 답을 구하세요.

1시간에 1명이 인형 12개를 만들 수 있습니다. 9명이 1시간 동안 만들 수 있는 인형은 몇 개일까요?

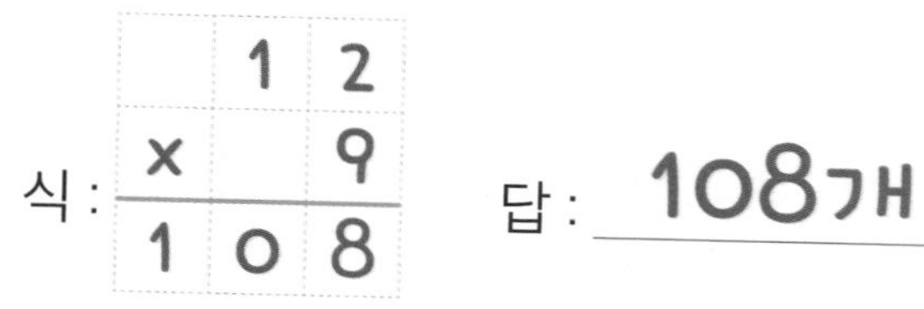
식 :
1 2
× 9
1 0 8
답 : 108개

① 노마는 우표를 44장 모았고, 경호는 노마가 모은 우표 수의 5배만큼 모았습니다. 경호가 모은 우표는 몇 장일까요?

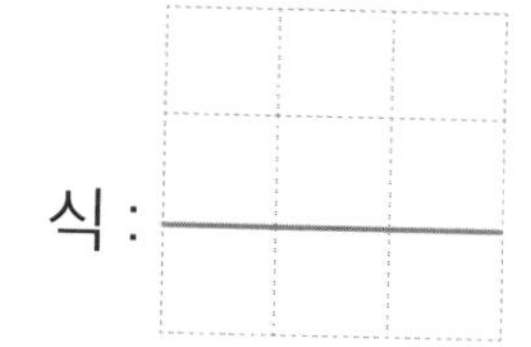

식 : 답 :

② 한 주머니에 금화가 36개 들어 있습니다. 주머니 6개에 들어 있는 금화는 모두 몇 개일까요?

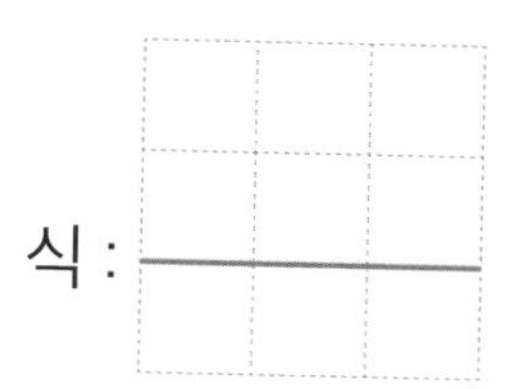

식 : 답 :

③ 희제네 반에서는 한 달에 재활용품을 75 kg씩 모으려고 합니다. 희제네 반에서 8달 동안 모으는 재활용품은 몇 kg일까요?

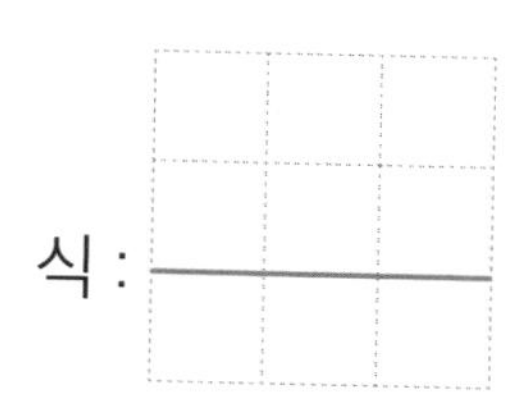

식 : 답 :

곱셈 풀이

알맞은 풀이를 쓰고 답을 구하세요.

갈치가 한 상자에 15마리씩 6상자 있습니다. 갈치는 모두 몇 마리일까요?

풀이 : (전체 갈치 수)
= (한 상자에 있는 갈치 수) × (상자 수)
= 15 × 6 = 90(마리)

답 : 90마리

① 현우는 하루에 수학 문제를 27문제 풀기로 했습니다. 현우가 일주일 동안 풀어야 하는 수학 문제는 모두 몇 문제일까요?

풀이 :

답 : ______

② 여우의 몸무게는 35 kg이고, 곰의 몸무게는 여우 몸무게의 4배와 같습니다. 곰은 몇 kg일까요?

풀이 :

답 : ______

③ 연못에 사는 올챙이가 하루에 56마리씩 늘어납니다. 6일 동안 늘어나는 올챙이는 몇 마리일까요?

풀이 :

답 : ____________

④ 길이가 70 cm인 막대 9개를 겹치지 않게 이어 붙인 길이는 몇 cm일까요?

풀이 :

답 : ____________

⑤ 고모의 나이는 44살이고, 할머니의 나이는 고모 나이의 2배와 같습니다. 할머니의 나이는 몇 살일까요?

풀이 :

답 : ____________

확인학습

알맞은 식을 쓰고 답을 구하세요.

① 지은이는 10살이고 지은이 엄마의 나이는 지은이 나이의 4배입니다. 지은이 엄마는 몇 살일까요?

식 : ________ 답 : ________

② 귤이 한 봉지에 30개씩 8봉지 있습니다. 귤은 모두 몇 개일까요?

식 : ________ 답 : ________

③ 학생들이 한 버스에 22명씩 버스 4대에 나누어 탔습니다. 버스에 탄 학생은 모두 몇 명일까요?

식 : ________ 답 : ________

④ 예지는 숙제를 하는 데 31분이 걸렸고, 수찬이는 예지가 걸린 시간의 2배만큼 걸렸습니다. 수찬이가 숙제를 하는 데 걸린 시간은 몇 분일까요?

식 : ________ 답 : ________

알맞은 식을 쓰고 답을 구하세요.

⑤ 한 봉지에 사탕 19개가 들어 있습니다. 3봉지에 들어 있는 사탕은 모두 몇 개일까요?

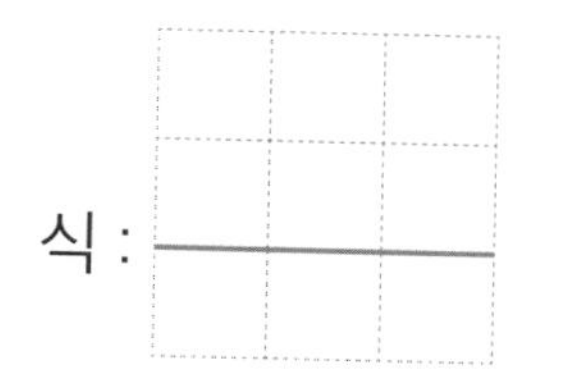

식 : 답 :

⑥ 운동장은 한 변의 길이가 72 m인 정사각형 모양입니다. 운동장의 둘레는 몇 m일까요?

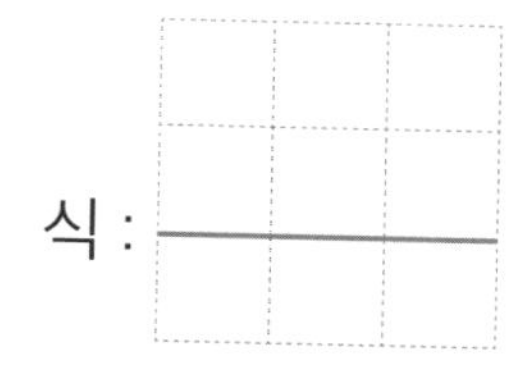

식 : 답 :

⑦ 다리가 8개인 문어 18마리가 있습니다. 문어 다리는 모두 몇 개일까요?

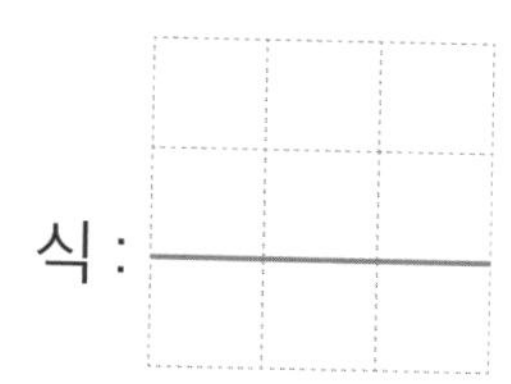

식 : 답 :

⑧ 어느 공장에서 자동차 1대를 만드는 데 87시간이 걸립니다. 자동차 4대를 만드는 데 걸리는 시간은 몇 시간일까요?

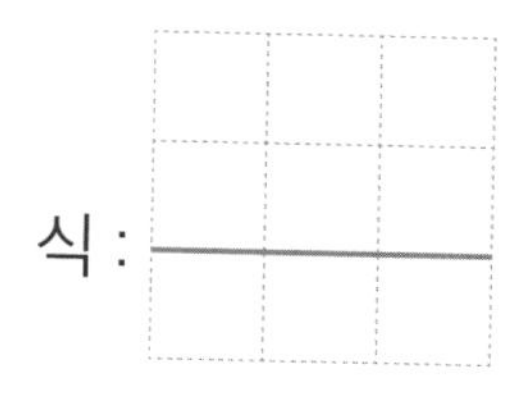

식 : 답 :

확인학습

알맞은 풀이를 쓰고 답을 구하세요.

⑨ 명재는 하루에 50원씩 일주일 동안 돈을 모았습니다. 명재가 모은 돈은 모두 얼마일까요?

풀이 :

답 : ____________

⑩ 지민이는 칭찬 스티커를 36장 모았고, 지환이는 지민이가 모은 칭찬 스티커 수의 3배만큼 모았습니다. 지환이가 모은 칭찬 스티커는 몇 장일까요?

풀이 :

답 : ____________

⑪ 조립 로봇이 부품 하나를 조립하는 데 96초가 걸립니다. 부품 8개를 조립하는 데 걸리는 시간은 몇 초일까요?

풀이 :

답 : ____________

3주차

곱셈(2)

1일 (세 자리 수)×(한 자리 수)(1)

세로셈 식을 완성하고 밑줄 친 곳에 알맞은 수를 구하세요.

443 곱하기 5는 2215 입니다.

```
  2 1
  4 4 3
×     5
-------
2 2 1 5
```

4×5=20 4×5=20 3×5=15

① 314 곱하기 2는 ______ 입니다.

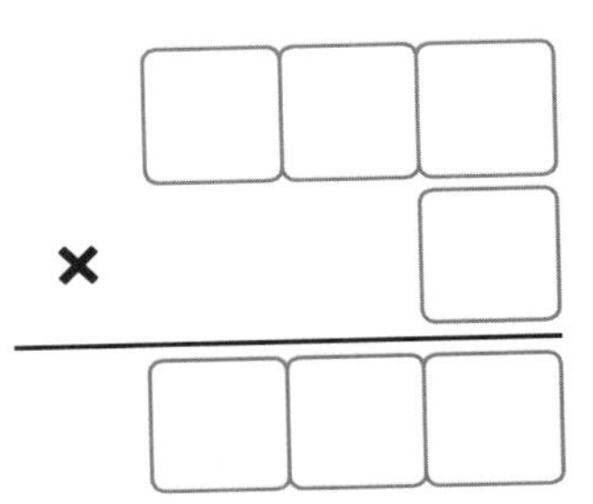

② 720의 3배는 ______ 입니다.

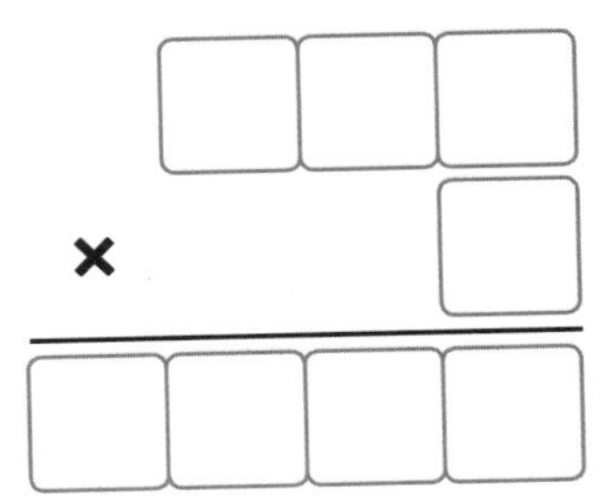

③ 258씩 7묶음은 ______ 입니다.

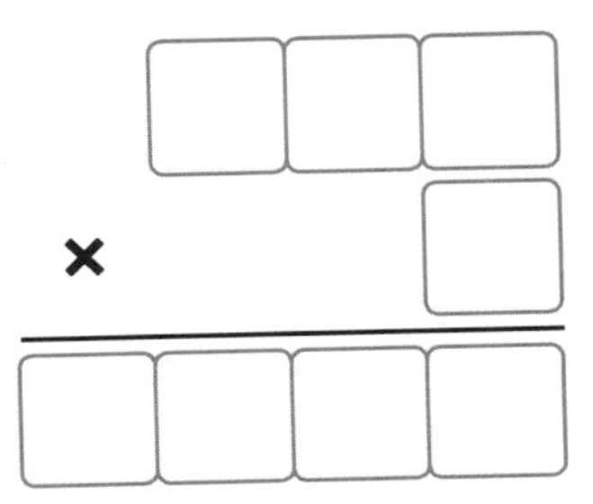

일의 자리, 십의 자리, 백의 자리 순서로 계산해야 해.

 알맞은 식을 쓰고 답을 구하세요.

토마토가 한 상자에 200개씩 들어 있습니다. 7상자에는 토마토가 모두 몇 개 들어 있을까요?

식 : 200×7=1400 답 : 1400개

① 길이가 133 cm인 막대 3개를 겹치지 않게 이어 붙인 길이는 몇 cm일까요?

식 : ______ 답 : ______

② 우진이는 하루에 360원씩 저금통에 넣습니다. 우진이가 5일 동안 저금통에 넣은 돈은 얼마일까요?

식 : ______ 답 : ______

③ 학생 730명에게 색종이를 5장씩 나누어 주려고 합니다. 필요한 색종이는 모두 몇 장일까요?

식 : ______ 답 : ______

2일 (세 자리 수)×(한 자리 수)(2)

알맞은 식을 쓰고 답을 구하세요.

아린이네 가족은 자동차를 타고 215 km를 갔고, 우상이네 가족은 아린이네 가족이 간 거리의 3배만큼 갔습니다. 우상이네 가족이 간 거리는 몇 km일까요?

식 : 215×3=645 답 : 645 km

① 어느 나라의 돈 1쿠퍼는 우리나라 돈 307원과 같습니다. 4쿠퍼는 우리나라 돈 얼마와 같을까요?

식 : ________ 답 : ________

② 재호는 한 달에 수학 문제 196문제를 풀려고 합니다. 재호가 5달 동안 풀어야 하는 수학 문제는 몇 문제일까요?

식 : ________ 답 : ________

③ 승객이 한 번에 413명씩 탈 수 있는 열차가 하루에 6번 운행됩니다. 하루에 열차를 탈 수 있는 승객은 몇 명일까요?

식 : ________ 답 : ________

곱해야 하는 두 수
를 잘 찾아서 식을
만들어야 해.

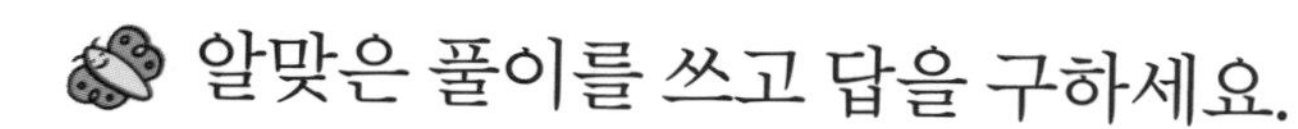
알맞은 풀이를 쓰고 답을 구하세요.

윤년이 아닌 평년은 365일입니다. 평년인 2021년 1월 1일부터 2023년 12월 31일까지는 모두 며칠일까요?

풀이 : (전체 날수)
= (평년의 날수) × (평년의 수)
= 365 × 3 = 1095(일)

답 : 1095일

① 진애가 엄마를 도우면 한 시간에 420원씩 용돈을 받습니다. 진애가 엄마를 6시간 동안 도왔다면 얼마를 받게 될까요?

풀이 :

답 : __________

② 고구마 1개를 먹으면 몸속에서 열량은 154칼로리가 발생합니다. 고구마 5개를 먹으면 발생하는 열량은 몇 칼로리일까요?

풀이 :

답 : __________

3일 (두 자리 수)×(두 자리 수)(1)

세로셈 식을 완성하고 밑줄 친 곳에 알맞은 수를 구하세요.

14 곱하기 36은 504 입니다.

		1	4
	×	3	6
		8	4
	4	2	0
	5	0	4

$14 \times 6 = 84$

$14 \times 30 = 420$

① 30 곱하기 26은 ________ 입니다.

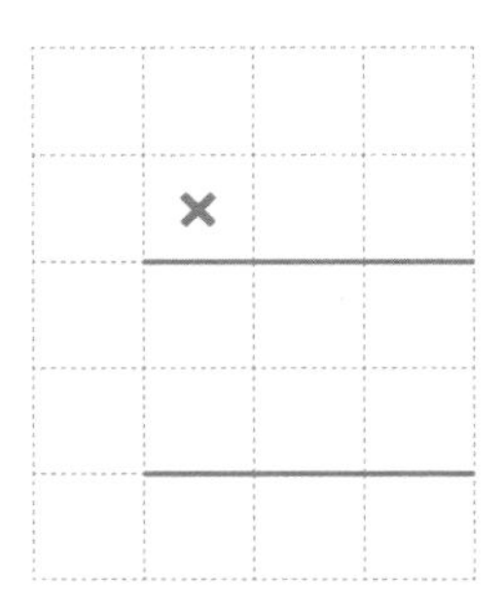

② 35의 14배는 ________ 입니다.

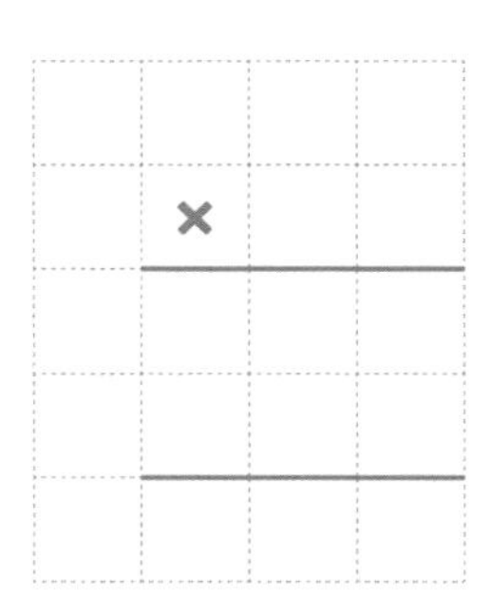

③ 28씩 67묶음은 ________ 입니다.

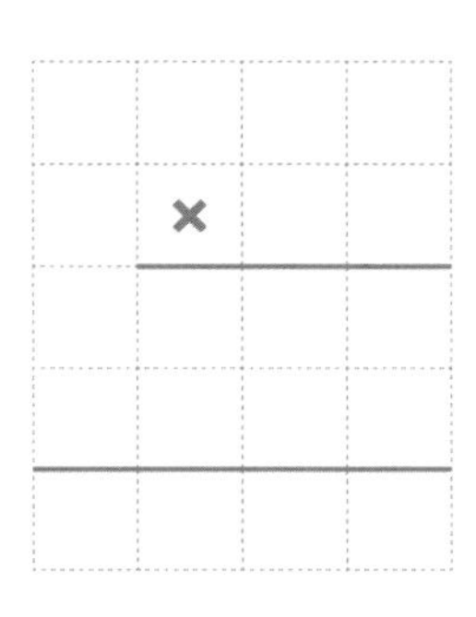

알맞은 식을 쓰고 답을 구하세요.

강당에 학생들이 한 줄에 12명씩 30줄로 서 있습니다. 줄을 서 있는 학생은 모두 몇 명일까요?

식 : 12×30=360 답 : 360명

① 민후는 윗몸 일으키기를 하루에 60번씩 30일 동안 하려고 합니다. 민후는 윗몸 일으키기를 모두 몇 번 할까요?

식 : ________ 답 : ________

② 한 접시에 케이크를 11조각씩 담았습니다. 37접시에 담겨 있는 케이크는 모두 몇 조각일까요?

식 : ________ 답 : ________

③ 무게가 40 g이 되도록 가공된 보석이 있습니다. 보석 36개의 무게는 모두 몇 g일까요?

식 : ________ 답 : ________

4일 (두 자리 수)×(두 자리 수) (2)

알맞은 식을 쓰고 답을 구하세요.

사과가 한 상자에 34개씩 들어 있습니다. 27상자에 들어 있는 사과는 모두 몇 개일까요?

식 : $34\times27=918$ 답 : 918개

① 운동장에 깃발이 한 줄에 14개씩 52줄 놓여 있습니다. 운동장에 놓인 깃발은 모두 몇 개일까요?

식 : ______ 답 : ______

② 자동차 공장에서 하루에 자동차 81대를 만들어냅니다. 이 공장에서 27일 동안 만들 수 있는 자동차는 모두 몇 대일까요?

식 : ______ 답 : ______

③ 버스 1대에 학생 48명이 타고 있습니다. 버스 63대에 타고 있는 학생은 모두 몇 명일까요?

식 : ______ 답 : ______

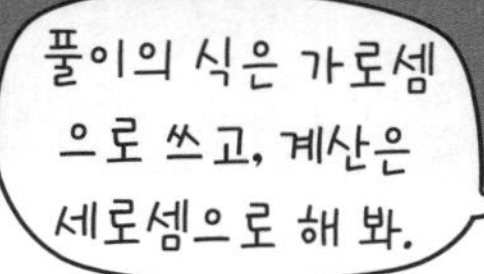

 알맞은 풀이를 쓰고 답을 구하세요.

지원이는 고양이에게 하루에 사료를 40 g씩 줍니다. 지원이가 75일 동안 고양이에게 주는 사료는 몇 g일까요?

풀이 : (전체 사료 무게)
= (하루에 주는 사료 무게) × (날수)
= 40 × 75 = 3000(g)

답 : 3000 g

① 재민이는 칭찬 스티커 한 장을 모을 때마다 엄마에게 55원을 받기로 했습니다. 재민이가 모은 칭찬 스티커가 16장일 때 엄마에게 받는 돈은 얼마일까요?

풀이 :

답 :

② 공책이 한 상자에 33권 들어 있습니다. 69상자에 들어 있는 공책은 모두 몇 권일까요?

풀이 :

답 :

5일 잘못된 계산

잘못된 계산을 보고 올바르게 계산한 값을 구하세요.

어떤 수에 5를 곱해야 할 것을 잘못하여 뺐더니 130이 되었습니다. 올바르게 계산한 값은 얼마일까요?

식 ① : $\square - 5 = 130$ 어떤 수 : 135

$130 + 5 = \square$

식 ② : $135 \times 5 = 675$ 답 : 675

① 어떤 수에 8을 곱해야 할 것을 잘못하여 더했더니 204가 되었습니다. 올바르게 계산한 값은 얼마일까요?

식 ① : ____________ 어떤 수 : ____________

식 ② : ____________ 답 : ____________

② 어떤 수에 40을 곱해야 할 것을 잘못하여 뺐더니 12가 되었습니다. 올바르게 계산한 값은 얼마일까요?

식 ① : ____________ 어떤 수 : ____________

식 ② : ____________ 답 : ____________

곱셈을 덧셈이나 뺄
셈으로 잘못 풀면 답이
크게 차이가 나.

③ 어떤 수에 3을 곱해야 할 것을 잘못하여 뺐더니 99가 되었습니다. 올바르게 계산한 값은 얼마일까요?

식 ① : ______________ 어떤 수 : ______________

식 ② : ______________ 답 : ______________

④ 어떤 수에 25를 곱해야 할 것을 잘못하여 더했더니 88이 되었습니다. 올바르게 계산한 값은 얼마일까요?

식 ① : ______________ 어떤 수 : ______________

식 ② : ______________ 답 : ______________

⑤ 어떤 수에 9를 곱해야 할 것을 잘못하여 더했더니 242가 되었습니다. 올바르게 계산한 값은 얼마일까요?

식 ① : ______________ 어떤 수 : ______________

식 ② : ______________ 답 : ______________

확인학습

알맞은 식을 쓰고 답을 구하세요.

① 수하는 책을 사려고 하루에 450원씩 8일 동안 돈을 모았습니다. 수하가 모은 돈은 얼마일까요?

식 : ________________ 답 : ________________

② 좌석이 288개인 극장에 좌석마다 화장지를 3장씩 놓으려고 합니다. 필요한 화장지는 모두 몇 장일까요?

식 : ________________ 답 : ________________

③ 서현이는 책을 하루에 27쪽씩 읽으려고 합니다. 서현이가 80일 동안 읽을 수 있는 책은 모두 몇 쪽일까요?

식 : ________________ 답 : ________________

④ 학생 1명에게 연필을 16자루 나누어 주려고 합니다. 72명에게 나누어 주려면 연필이 모두 몇 자루 필요할까요?

식 : ________________ 답 : ________________

알맞은 풀이를 쓰고 답을 구하세요.

⑤ 지철이는 식사 대신 열량이 213칼로리인 에너지바를 먹으려고 합니다. 지철이가 에너지바 3개를 먹고 얻을 수 있는 열량은 몇 칼로리일까요?

풀이 :

답 : ____________

⑥ 우찬이는 자전거로 하루에 15km를 달리는 운동을 했습니다. 우찬이가 70일 동안 자전거로 달린 거리는 모두 몇 km일까요?

풀이 :

답 : ____________

⑦ 주원이는 일주일에 580 g씩 살을 빼는 다이어트를 하려고 합니다. 주원이가 7주 동안 뺄 수 있는 살은 몇 g일까요?

풀이 :

답 : ____________

확인학습

잘못된 계산을 보고 올바르게 계산한 값을 구하세요.

⑧ 어떤 수에 28을 곱해야 할 것을 잘못하여 더했더니 53이 되었습니다. 올바르게 계산한 값은 얼마일까요?

식 ① : ______________________ 어떤 수 : ____________

식 ② : ______________________ 답 : ____________

⑨ 어떤 수에 36을 곱해야 할 것을 잘못하여 뺐더니 8이 되었습니다. 올바르게 계산한 값은 얼마일까요?

식 ① : ______________________ 어떤 수 : ____________

식 ② : ______________________ 답 : ____________

⑩ 어떤 수에 7을 곱해야 할 것을 잘못하여 더했더니 187이 되었습니다. 올바르게 계산한 값은 얼마일까요?

식 ① : ______________________ 어떤 수 : ____________

식 ② : ______________________ 답 : ____________

4주차

몫과 나머지

1일 (두 자리 수)÷(한 자리 수)(1)

 알맞은 식을 쓰고 답을 구하세요.

학생 30명을 똑같이 2모둠으로 나누면 한 모둠에 학생은 몇 명일까요?

$$\begin{array}{r} 15 \\ 2 \overline{)30} \\ \underline{20} \\ 10 \\ \underline{10} \\ 0 \end{array}$$

식 : 30÷2=15　　답 : 15명

① 사탕 40개를 4접시에 똑같이 나누어 담으면 한 접시에 몇 개씩 담을 수 있을까요?

식 : ______　　답 : ______

② 색종이 66장을 3명에게 똑같이 나누어 주면 한 명에게 몇 장씩 줄 수 있을까요?

식 : ______　　답 : ______

③ 72쪽짜리 책을 3일 동안 하루에 똑같은 쪽 수를 매일 읽어서 모두 읽으려면 하루에 몇 쪽씩 읽어야 할까요?

식 : ______　　답 : ______

④ 쌓기나무 90개를 교구 주머니 5개에 나누어 담으면 한 교구 주머니에 몇 개씩 담을 수 있을까요?

식 : ______　　답 : ______

나눗셈 식의 맨 아랫
줄에 0이 나오면 나누어
떨어진다고 해.

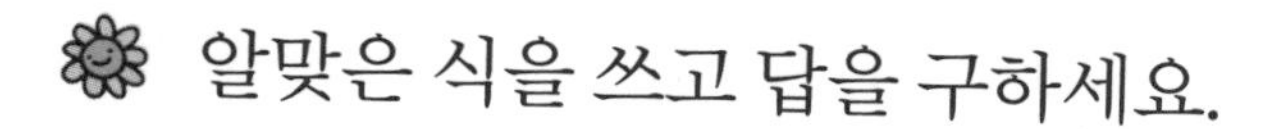

알맞은 식을 쓰고 답을 구하세요.

사과 36개를 한 명당 3개씩 나누어 주면 몇 명에게 나누어 줄 수 있을까요?

$$\begin{array}{r} 12 \\ 3\,\overline{)\,36} \\ 30 \\ \hline 6 \\ 6 \\ \hline 0 \end{array}$$

식 : 36÷3=12　　답 : 12명

① 스티커 68장을 한 색종이에 4개씩 붙이면 색종이 몇 장에 붙일 수 있을까요?

식 : ____________　　답 : ____________

② 딱풀 64개를 한 명당 4개씩 나누어 주면 몇 명에게 나누어 줄 수 있을까요?

식 : ____________　　답 : ____________

③ 수학 문제 70문제를 한 명당 5문제씩 나누어 풀면 몇 명이 풀 수 있을까요?

식 : ____________　　답 : ____________

④ 쿠키 36개를 한 접시에 2개씩 나누어 담으면 몇 접시에 담을 수 있을까요?

식 : ____________　　답 : ____________

2일 (두 자리 수)÷(한 자리 수)(2)

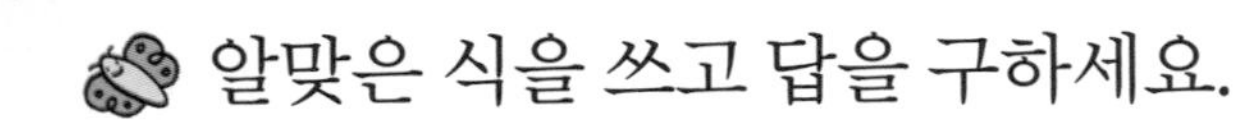

연필이 23자루 있습니다. 5명이 똑같이 나누어 가진다면 한 명이 연필을 몇 자루씩 가질 수 있고, 몇 자루가 남을까요?

식 : $23 \div 5 = 4 \cdots 3$ 답 : 4자루, 3자루

① 딸기 49개를 6접시에 똑같이 나누어 담으려고 합니다. 한 접시에 몇 개씩 담을 수 있고, 몇 개가 남을까요?

식 : ______________ 답 : ________, ________

② 색종이 55장을 한 명당 8장씩 나누어 주려고 합니다. 몇 명에게 나누어 줄 수 있고, 몇 장이 남을까요?

식 : ______________ 답 : ________, ________

③ 파인애플 83개를 한 상자에 6개씩 나누어 담으려고 합니다. 몇 상자에 담을 수 있고, 몇 개가 남을까요?

식 : ______________ 답 : ________, ________

나눗셈에서 나누어
떨어지지 않고 남는 수
를 나머지라고 해.

알맞은 식을 쓰고 답을 구하세요.

사과 90개를 한 봉지에 8개씩 담아 팔려고 합니다. 사과를 몇 봉지까지 팔 수 있을까요?

식 : $90 \div 8 = 11 \cdots 2$ 답 : 11봉지

남는 2개는 팔 수 없어요.

① 지우개 25개를 한 명당 2개씩 나누어 주려고 합니다. 지우개를 몇 명까지 나누어 줄 수 있을까요?

식 : ______ 답 : ______

② 학생 47명을 보트에 태우려고 합니다. 보트 하나에 3명씩 탈 수 있을 때 학생들이 모두 타려면 보트는 적어도 몇 대 있어야 할까요?

식 : ______ 답 : ______

③ 농구공 51개를 상자에 나누어 담으려고 합니다. 한 상자에 7개까지 담을 수 있을 때 농구공을 남김없이 모두 담으려면 상자는 적어도 몇 상자 필요할까요?

식 : ______ 답 : ______

3일 (세 자리 수)÷(한 자리 수)(1)

알맞은 식을 쓰고 답을 구하세요.

야구공 640개를 8상자에 똑같이 나누어 담으려고 합니다. 한 상자에 몇 개씩 담을 수 있을까요?

$$\begin{array}{r} 80 \\ 8\overline{)640} \\ \underline{640} \\ 0 \end{array}$$

식 : 640÷8=80　　답 : 80개

① 색 테이프 800 cm가 있습니다. 이 색 테이프를 똑같은 길이의 5도막으로 나누면 한 도막의 길이는 몇 cm일까요?

식 : ____________　　답 : ________

② 학교 행사에서 풍선 288개를 준비했습니다. 풍선을 6개 반에 똑같이 나누어 주면 한 반에 풍선을 몇 개씩 줄 수 있을까요?

식 : ____________　　답 : ________

③ 냉동실에 얼음 228개를 얼렸습니다. 얼음을 4통에 똑같이 나누어 담으면 한 통에 몇 개씩 담을 수 있을까요?

식 : ____________　　답 : ________

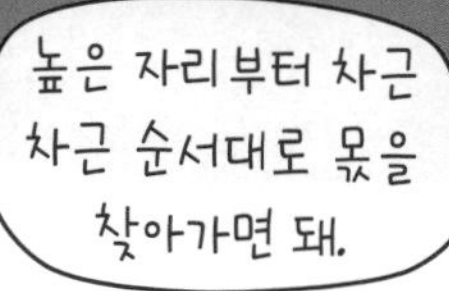
높은 자리부터 차근
차근 순서대로 몫을
찾아가면 돼.

알맞은 식을 쓰고 답을 구하세요.

크리스마스 씰 475장을 한 명당 5장씩 나누어 주려고 합니다. 몇 명에게 나누어 줄 수 있을까요?

$$\begin{array}{r} 95 \\ 5\overline{)475} \\ 450 \\ \hline 25 \\ 25 \\ \hline 0 \end{array}$$

식 : 475÷5=95 　 답 : 95명

① 빵집에서 크림빵 270개를 만들었습니다. 한 봉지에 6개씩 똑같이 나누어 포장하려면 봉지가 몇 개 필요할까요?

식 : ＿＿＿＿＿＿ 　 답 : ＿＿＿＿＿＿

② 헌책 630권을 모으려고 합니다. 한 사람이 3권씩 가져올 수 있다면 몇 명이 필요할까요?

식 : ＿＿＿＿＿＿ 　 답 : ＿＿＿＿＿＿

③ 식당에서 컵케이크 432개를 만들었습니다. 한 접시에 8개씩 놓으려면 접시가 몇 개 필요할까요?

식 : ＿＿＿＿＿＿ 　 답 : ＿＿＿＿＿＿

4일 (세 자리 수)÷(한 자리 수)(2)

알맞은 식을 쓰고 답을 구하세요.

팽이 100개를 3명이 똑같이 나누어 가지려고 합니다. 한 명이 몇 개씩 가질 수 있고, 몇 개가 남을까요?

식 : $100 \div 3 = 33 \cdots 1$ 답 : 33개, 1개

① 장미 123송이를 꽃병 5개에 똑같이 나누어 꽂으려고 합니다. 꽃병 하나에 몇 송이를 꽂을 수 있고, 몇 송이가 남을까요?

식 : ______________ 답 : ________, ________

② 색 테이프 293 cm를 길이가 8 cm인 도막으로 나누려고 합니다. 몇 도막으로 나눌 수 있고, 색 테이프는 몇 cm가 남을까요?

식 : ______________ 답 : ________, ________

③ 1년은 365일입니다. 1년은 몇 주이고, 며칠이 남을까요?

식 : ______________ 답 : ________, ________

나머지가 나누는
수보다 더 크면 잘못
계산한 거야.

알맞은 식을 쓰고 답을 구하세요.

곰 인형 250개를 상자에 담으려고 합니다. 한 상자에 9개씩 담을 수 있을 때 곰 인형을 남김없이 모두 담으려면 상자는 적어도 몇 상자가 필요할까요?

식 : $250 \div 9 = 27 \cdots 7$　　답 : 28상자

몫보다 1상자 더 필요해요.

① 빵집에서 만든 빵 412개를 5개씩 포장해 팔려고 합니다. 팔 수 있는 빵은 모두 몇 개일까요?

식 : ____________　　답 : ________

② 사탕 146개를 한 사람당 3개씩 나누어 주려고 합니다. 사탕을 몇 명에게 나누어 줄 수 있을까요?

식 : ____________　　답 : ________

③ 503쪽짜리 소설책을 하루에 7쪽씩 읽으려고 합니다. 소설책을 남김없이 모두 읽으려면 적어도 며칠이 필요할까요?

식 : ____________　　답 : ________

5일 나누어지는 수 구하기

□가 있는 나눗셈식과 검산식을 쓰고 답을 구하세요.

어떤 수를 9로 나누었더니 몫이 5, 나머지가 4가 되었습니다. 어떤 수는 얼마일까요?

나눗셈식 : □÷9=5···4

검산식 : 9×5=45, 45+4=49 답 : 49

① 어떤 수를 6으로 나누었더니 몫이 13, 나머지가 1이 되었습니다. 어떤 수는 얼마일까요?

나눗셈식 : ______

검산식 : ______ 답 : ______

② 어떤 수를 8로 나누었더니 몫이 15, 나머지가 7이 되었습니다. 어떤 수는 얼마일까요?

나눗셈식 : ______

검산식 : ______ 답 : ______

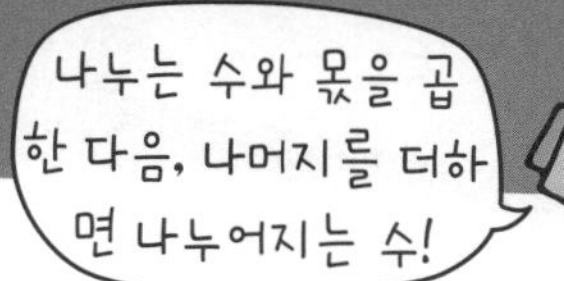

나누는 수와 몫을 곱
한 다음, 나머지를 더하
면 나누어지는 수!

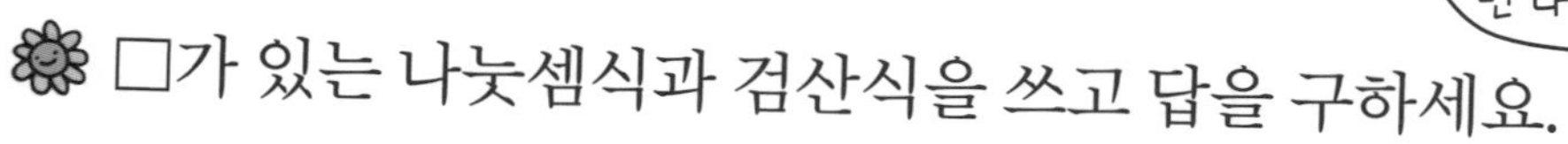

□가 있는 나눗셈식과 검산식을 쓰고 답을 구하세요.

냉장고에 있던 체리를 5명에게 똑같이 나누어 주었더니 한 명당 20개씩 주었고, 3개가 남았습니다. 체리는 모두 몇 개일까요?

나눗셈식 : □÷5=20⋯3

검산식 : 5×20=100, 100+3=103 답 : 103개

① 민주가 만든 머핀을 한 접시에 4개씩 담았더니 19접시에 담겼고, 2개가 남았습니다. 민주가 만든 머핀은 모두 몇 개일까요?

나눗셈식 : ______

검산식 : ______ 답 : ______

② 장난감 자동차를 한 줄에 7대씩 놓았더니 25줄이 되었고 4대가 남았습니다. 장난감 자동차는 모두 몇 대일까요?

나눗셈식 : ______

검산식 : ______ 답 : ______

확인학습

알맞은 식을 쓰고 답을 구하세요.

① 곶감 60개를 3상자에 똑같이 나누어 담으면 한 상자에 몇 개씩 담을 수 있을까요?

식 : ____________ 답 : ____________

② 84쪽짜리 책을 하루에 7쪽씩 매일 읽으면 며칠 만에 다 읽을 수 있을까요?

식 : ____________ 답 : ____________

알맞은 식을 쓰고 답을 구하세요.

③ 공책 39권을 한 봉투에 2권씩 나누어 담으려고 합니다. 필요한 봉투는 몇 개이고, 남는 공책은 몇 권일까요?

식 : ____________ 답 : ____________ , ____________

④ 별사탕 62개를 6명이 똑같이 나누어 먹으려고 합니다. 한 사람이 몇 개씩 먹을 수 있고, 몇 개가 남을까요?

식 : ____________ 답 : ____________ , ____________

알맞은 식을 쓰고 답을 구하세요.

⑤ 강아지 운동회에 강아지 170마리가 모였습니다. 강아지를 2팀으로 나누면 한 팀에 강아지 몇 마리가 있을까요?

식 : ____________________ 답 : ____________

⑥ 공책 246권을 한 명당 6권씩 똑같이 나누어 주려고 합니다. 몇 명에게 나누어 줄 수 있을까요?

식 : ____________________ 답 : ____________

알맞은 식을 쓰고 답을 구하세요.

⑦ 주사위 320개를 한 상자에 6개씩 포장하여 나누어 주려고 합니다. 몇 상자까지 나누어 줄 수 있을까요?

식 : ____________________ 답 : ____________

⑧ 캠핑에 참가한 학생 435명이 한 텐트에 9명씩 자려고 합니다. 모든 학생이 남김없이 텐트에 들어가려면 텐트는 적어도 몇 개 필요할까요?

식 : ____________________ 답 : ____________

확인학습

□가 있는 나눗셈식과 검산식을 쓰고 답을 구하세요.

⑨ 어떤 수를 3으로 나누었더니 몫이 51, 나머지가 2가 되었습니다. 어떤 수는 얼마일까요?

나눗셈식 : ____________________

검산식 : ______________________________ 답 : __________

⑩ 고무줄을 손가락 5개에 똑같이 나누어 걸었더니 한 손가락에 14개씩 걸렸고, 2개가 남았습니다. 고무줄은 모두 몇 개일까요?

나눗셈식 : ____________________

검산식 : ______________________________ 답 : __________

⑪ 창주가 모은 우표를 6명에게 똑같이 나누어 주었더니 한 명당 16장씩 가지게 되었고, 5장이 남았습니다. 창주가 모은 우표는 모두 몇 장일까요?

나눗셈식 : ____________________

검산식 : ______________________________ 답 : __________

진단평가

진단평가에는 앞에서 학습한 4주차의 문장제 활동이 순서대로 나옵니다. 잘못 푼 문제가 있으면 몇 주차인지 확인하여 반드시 한 번 더 복습해 봅니다.

1주차	3주차
2주차	4주차

1회차

진단평가

알맞은 나눗셈식을 완성하고 답을 구하세요.

① 18을 2묶음으로 똑같이 나누면 한 묶음에 몇일까요?

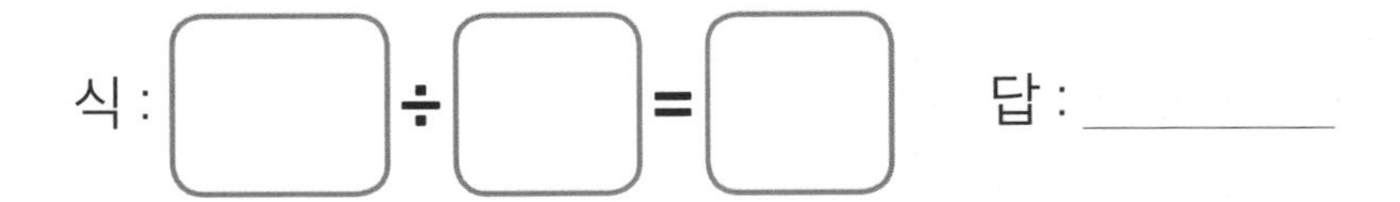

식 : ☐ ÷ ☐ = ☐ 답 : ______

② 20을 4묶음으로 똑같이 나누면 한 묶음에 몇일까요?

식 : ☐ ÷ ☐ = ☐ 답 : ______

알맞은 풀이를 쓰고 답을 구하세요.

③ 영화관에 한 번에 입장할 수 있는 관객은 84명입니다. 영화관에 5번 입장할 수 있는 관객은 몇 명일까요?

풀이 :

답 : ______

월 일	
제한 시간	10분
맞은 개수	/ 6개

알맞은 풀이를 쓰고 답을 구하세요.

④ 찬호는 84 m 길이의 트랙을 41번 반복하여 달렸습니다. 찬호가 달린 거리는 모두 몇 m일까요?

풀이 :

답 : ______________________

알맞은 식을 쓰고 답을 구하세요.

⑤ 어버이날을 맞아 종이꽃 135개를 만들려고 합니다. 9명이 똑같이 나누어 만들려면 한 명이 몇 개씩 만들어야 할까요?

식 : ______________________ 답 : ______________

⑥ 금붕어 552마리를 어항 하나에 6마리씩 나누어 넣으려고 합니다. 어항은 몇 개 필요할까요?

식 : ______________________ 답 : ______________

2회차

진단평가

알맞은 뺄셈식과 나눗셈식을 완성하고 답을 구하세요.

① 과자 27개를 한 접시에 9개씩 담으려고 합니다. 접시는 몇 접시 필요할까요?

뺄셈식 : ______

나눗셈식 : ______ 답 : ______

② 초콜릿 36개를 한 명에게 6개씩 주려고 합니다. 몇 명에게 나누어 줄 수 있을까요?

뺄셈식 : ______

나눗셈식 : ______ 답 : ______

알맞은 식을 쓰고 답을 구하세요.

③ 현태는 1분에 줄넘기를 60번씩 넘고 있습니다. 현태가 5분 동안 넘은 줄넘기는 모두 몇 번일까요?

식 : ______ 답 : ______

④ 구슬이 한 줄에 80개씩 7줄 있습니다. 구슬은 모두 몇 개일까요?

식 : ______ 답 : ______

월 일

제한 시간 10분

맞은 개수 / 7개

잘못된 계산을 보고 올바르게 계산한 값을 구하세요.

⑤ 어떤 수에 4를 곱해야 할 것을 잘못하여 뺐더니 378이 되었습니다. 올바르게 계산한 값은 얼마일까요?

식 ① : ______________ 어떤 수 : ______________

식 ② : ______________ 답 : ______________

알맞은 식을 쓰고 답을 구하세요.

⑥ 로하는 초콜릿을 301개 만들어 한 친구당 4개씩 나누어 주려고 합니다. 몇 명에게 나누어 줄 수 있고, 몇 개가 남을까요?

식 : ______________ 답 : ______________ , ______________

⑦ 스티커 236장을 종이 6장에 똑같이 나누어 붙이려고 합니다. 한 종이에 스티커를 몇 장씩 붙일 수 있고, 몇 장이 남을까요?

식 : ______________ 답 : ______________ , ______________

3회차 진단평가

✎ 주어진 곱셈식에 알맞은 나눗셈식을 쓰고 답을 구하세요.

7×6=42

① 머핀 42개를 7명에게 똑같이 나누어 주면 몇 개씩 줄 수 있을까요?

식 : ____________ 답 : ________

② 머핀 42개를 한 명에게 6개씩 주면 몇 명에게 나누어 줄 수 있을까요?

식 : ____________ 답 : ________

✎ 알맞은 식을 쓰고 답을 구하세요.

③ 놀이터 한 바퀴를 도는 거리는 42 m입니다. 놀이터 2바퀴를 도는 거리는 몇 m일까요?

식 : ________ 답 : ________

④ 구슬 11개를 꿰어 팔찌 하나를 만들려고 합니다. 팔찌 9개를 만드는 데 필요한 구슬은 몇 개일까요?

식 : ________ 답 : ________

알맞은 식을 쓰고 답을 구하세요.

⑤ 은주는 우표를 121장 모았고, 유림이는 은주가 모은 우표 수의 4배만큼 모았습니다. 유림이가 모은 우표는 몇 장일까요?

식 : ______________________ 답 : ______________

⑥ 국제 공항에서 하루에 출발하는 비행기는 569대입니다. 이 공항에서 6일 동안 출발하는 비행기는 모두 몇 대일까요?

식 : ______________________ 답 : ______________

□가 있는 나눗셈식과 검산식을 쓰고 답을 구하세요.

⑦ 동화책을 9일 동안 하루에 15쪽씩 읽었더니 5쪽이 남았습니다. 동화책은 모두 몇 쪽일까요?

나눗셈식 : ______________________

검산식 : ______________________ 답 : ______________

4회차

진단평가

알맞은 나눗셈식을 쓰고 답을 구하세요.

① 바둑돌 27개를 한 묶음에 3개씩 나누면 몇 묶음으로 나눌 수 있을까요?

식 : ______________ 답 : __________

② 병아리 45마리를 9상자에 똑같이 나누어 담으면 한 상자에 몇 마리씩 담을 수 있을까요?

식 : ______________ 답 : __________

알맞은 식을 쓰고 답을 구하세요.

③ 오빠의 나이는 28살이고, 할아버지의 나이는 오빠 나이의 3배입니다. 할아버지는 몇 살일까요?

식 : ______________ 답 : __________

④ 흰 바둑돌과 검은 바둑돌이 각각 64개 있습니다. 바둑돌은 모두 몇 개일까요?

알맞은 풀이를 쓰고 답을 구하세요.

⑤ 중국 돈 1위안은 우리나라 돈 165원과 같습니다. 8위안은 우리나라 돈 얼마와 같을까요?

풀이 :

답 : ____________

알맞은 식을 쓰고 답을 구하세요.

⑥ 연필 48자루를 4명에게 똑같이 나누어 주면 한 명에게 몇 자루씩 나누어 줄 수 있을까요?

식 : ____________ 답 : ____________

⑦ 멜론 78개를 한 봉지에 2개씩 나누어 담으면 몇 봉지에 담을 수 있을까요?

식 : ____________ 답 : ____________

5회차

진단평가

알맞은 풀이를 쓰고 답을 구하세요.

① 도화지 한 장으로 종이배 4개를 만들 수 있습니다. 종이배 32개를 만들려면 도화지 몇 장이 필요할까요?

풀이 :

답 : ____________

알맞은 식을 쓰고 답을 구하세요.

② 집에서 마트까지의 거리는 67 m이고, 집에서 도서관까지의 거리는 마트까지의 거리의 3배입니다. 집에서 도서관까지의 거리는 몇 m일까요?

③ 승혜는 종이학을 하루에 27개씩 9일 동안 접었습니다. 승혜가 접은 종이학은 모두 몇 개일까요?

월 일
제한 시간 10분
맞은 개수 / 7개

알맞은 식을 쓰고 답을 구하세요.

④ 쿠키가 한 상자에 70개씩 들어 있습니다. 45상자에 들어 있는 쿠키는 모두 몇 개일까요?

식 : ______________ 답 : ______________

⑤ 문자 메시지 1개를 보내는 요금은 12원입니다. 문자 메시지 64개를 보냈을 때 요금은 얼마가 나올까요?

식 : ______________ 답 : ______________

알맞은 식을 쓰고 답을 구하세요.

⑥ 학생 65명이 춤을 추다가 '7명!'이라는 외침에 7명씩 뭉쳤습니다. 뭉치지 못한 사람을 뺀 나머지는 게임을 계속할 때, 게임을 계속하는 학생은 몇 명일까요?

식 : ______________ 답 : ______________

⑦ 94쪽짜리 책을 하루에 4쪽씩 매일 읽으려고 합니다. 책을 남김없이 모두 읽으려면 적어도 며칠 동안 읽어야 할까요?

식 : ______________ 답 : ______________

Memo

하루 10분 서술형/문장제 학습지

씨투엠

수학 독해

정답

C2

곱셈과 나눗셈

초3~초4

정답

C2

곱셈과 나눗셈

초3~초4

P 06 ~ 07

1일 똑같이 나누기(1)

전체 수만큼 그림을 그린 다음 주어진 묶음으로 나누어 봐.

그림을 그려 알맞은 나눗셈식을 완성하고 답을 구하세요.

12를 4묶음으로 똑같이 나누면 한 묶음에 몇일까요?

12는 3씩 4묶음

식 : 12 ÷ 4 = 3 답 : 3

① 10을 5묶음으로 똑같이 나누면 한 묶음에 몇일까요?

식 : 10 ÷ 5 = 2 답 : 2

② 14를 2묶음으로 똑같이 나누면 한 묶음에 몇일까요?

식 : 14 ÷ 2 = 7 답 : 7

③ 18을 3묶음으로 똑같이 나누면 한 묶음에 몇일까요?

식 : 18 ÷ 3 = 6 답 : 6

④ 24를 6묶음으로 똑같이 나누면 한 묶음에 몇일까요?

식 : 24 ÷ 6 = 4 답 : 4

그림을 그려 알맞은 나눗셈식을 완성하고 답을 구하세요.

사탕 8개를 4명에게 똑같이 나누어 주려고 합니다. 한 명에게 사탕을 몇 개씩 줄 수 있을까요?

8은 2씩 4묶음

식 : 8÷4=2 답 : 2개

① 구슬 20개를 5명이 똑같이 나누어 가지려고 합니다. 한 명이 구슬을 몇 개씩 가질 수 있을까요?

식 : 20÷5=4 답 : 4개

② 축구공 15개를 보관함 5개에 똑같이 나누어 담으려고 합니다. 한 보관함에 축구공을 몇 개씩 담을 수 있을까요?

식 : 15÷5=3 답 : 3개

③ 색종이 21장을 3명이 똑같이 나누어 가지려고 합니다. 한 명이 색종이를 몇 장씩 가질 수 있을까요?

식 : 21÷3=7 답 : 7장

④ 볼펜 24자루를 필통 4개에 똑같이 나누어 담으려고 합니다. 한 필통에 볼펜을 몇 자루씩 담을 수 있을까요?

식 : 24÷4=6 답 : 6자루

6 C2-곱셈과 나눗셈 / 1주: 나눗셈구구 7

P 08 ~ 09

2일 똑같이 나누기(2)

같은 수만큼 뺀 횟수가 나눗셈식의 몫이 되지.

알맞은 뺄셈식과 나눗셈식을 완성하고 답을 구하세요.

18에서 3을 몇 번 빼면 0이 될까요?

1번 2번 3번 4번 5번 6번

뺄셈식 : 18-3-3-3-3-3-3=0

나눗셈식 : 18÷3=6 답 : 6번

① 20에서 4를 몇 번 빼면 0이 될까요?

뺄셈식 : 20-4-4-4-4-4=0

나눗셈식 : 20÷4=5 답 : 5번

② 21에서 7을 몇 번 빼면 0이 될까요?

뺄셈식 : 21-7-7-7=0

나눗셈식 : 21÷7=3 답 : 3번

③ 32에서 8을 몇 번 빼면 0이 될까요?

뺄셈식 : 32-8-8-8-8=0

나눗셈식 : 32÷8=4 답 : 4번

알맞은 뺄셈식과 나눗셈식을 완성하고 답을 구하세요.

복숭아 24개를 한 봉지에 6개씩 담으려고 합니다. 봉지는 몇 장 필요할까요?

1장 2장 3장 4장

뺄셈식 : 24-6-6-6-6=0

나눗셈식 : 24÷6=4 답 : 4장

① 장미 9송이를 한 명에게 3송이씩 주려고 합니다. 몇 명에게 나누어 줄 수 있을까요?

뺄셈식 : 9-3-3-3=0

나눗셈식 : 9÷3=3 답 : 3명

② 28쪽짜리 책을 하루에 7쪽씩 매일 읽으려고 합니다. 이 책을 모두 읽으려면 며칠이 걸릴까요?

뺄셈식 : 28-7-7-7-7=0

나눗셈식 : 28÷7=4 답 : 4일

③ 우유 15병을 한 상자에 3병씩 담으려고 합니다. 상자는 몇 상자 필요할까요?

뺄셈식 : 15-3-3-3-3-3=0

나눗셈식 : 15÷3=5 답 : 5상자

8 C2-곱셈과 나눗셈 / 1주: 나눗셈구구 9

P 10 ~ 11

3일 곱셈식과 나눗셈식

곱셈식을 보고 나누는 수가 다른 나눗셈식 2개를 만들 수 있어.

곱셈식을 나눗셈식 2개로 나타내어 보세요.

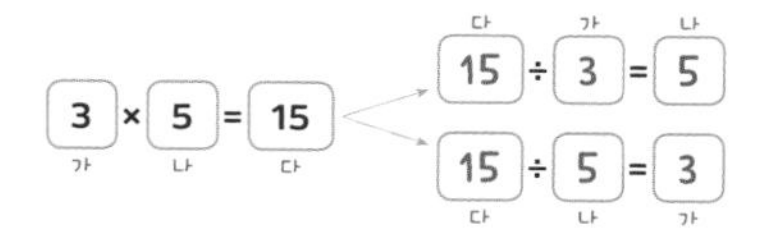

① 2 × 9 = 18 → 18 ÷ 2 = 9, 18 ÷ 9 = 2

② 5 × 6 = 30 → 30 ÷ 5 = 6, 30 ÷ 6 = 5

③ 7 × 3 = 21 → 21 ÷ 7 = 3, 21 ÷ 3 = 7

주어진 곱셈식에 알맞은 나눗셈식을 쓰고 답을 구하세요.

4×6=24

수박 24통을 4상자에 똑같이 나누어 담으면 한 상자에 몇 통씩 담을 수 있을까요?

식 : 24÷4=6 답 : 6통

수박 24통을 한 상자에 6통씩 담으면 몇 상자에 나누어 담을 수 있을까요?

식 : 24÷6=4 답 : 4상자

5×7=35

① 색종이 35장을 5명에게 똑같이 나누어 주면 몇 장씩 줄 수 있을까요?

식 : 35÷5=7 답 : 7장

② 색종이 35장을 한 명에게 7장씩 주면 몇 명에게 나누어 줄 수 있을까요?

식 : 35÷7=5 답 : 5명

P 12 ~ 13

4일 몫 구하기

외우고 있는 곱셈구구를 이용하여 나눗셈의 몫을 구해 봐.

곱셈식으로 나눗셈의 몫을 구하세요.

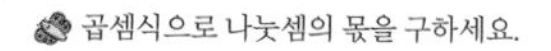
색연필 35자루를 5명에게 똑같이 나누어 주면 한 명에게 몇 자루씩 줄 수 있을까요?

나눗셈식 : 35÷5=7

곱셈식 : 5×7=35 답 : 7자루

① 인형 16개를 한 명에게 2개씩 주면 몇 명에게 나누어 줄 수 있을까요?

나눗셈식 : 16÷2=8

곱셈식 : 2×8=16 답 : 8명

② 아이스크림 20개를 4봉지에 똑같이 나누어 담으면 한 봉지에 몇 개씩 담을 수 있을까요?

나눗셈식 : 20÷4=5

곱셈식 : 4×5=20 답 : 5개

③ 빈 병 25개를 한 상자에 5개씩 담으면 몇 상자에 나누어 담을 수 있을까요?

나눗셈식 : 25÷5=5

곱셈식 : 5×5=25 답 : 5상자

알맞은 나눗셈식을 쓰고 답을 구하세요.

사과 48개가 한 줄에 8개씩 놓여 있습니다. 사과는 몇 줄 놓여 있을까요?

식 : 48÷8=6 답 : 6줄

8 × 6 = 48

① 스티커 28장을 4명에게 똑같이 나누어 주면 한 명에게 몇 장씩 줄 수 있을까요?

식 : 28÷4=7 답 : 7장

② 파인애플 18개를 한 명에게 6개씩 주면 몇 명에게 나누어 줄 수 있을까요?

식 : 18÷6=3 답 : 3명

③ 쿠키 40개를 5접시에 똑같이 나누어 담으면 한 접시에 몇 개씩 담을 수 있을까요?

식 : 40÷5=8 답 : 8개

④ 36쪽짜리 책을 하루에 4쪽씩 매일 읽으면 책을 다 읽는 데 며칠이 걸릴까요?

식 : 36÷4=9 답 : 9일

1주 나눗셈구구

P 14 ~ 15

5일 나눗셈 풀이

나누어지는 수와 나누는 수를 각각 찾은 후 몫을 구해야 해.

알맞은 풀이를 쓰고 답을 구하세요.

공책 54권을 6명에게 똑같이 나누어 주면 한 명에게 몇 권씩 줄 수 있을까요?

풀이 : (한 명에게 줄 수 있는 공책 수)
= (전체 공책 수) ÷ (사람 수)
= 54 ÷ 6 = 9(권)

답 : 9권

① 가지 36개를 한 바구니에 6개씩 나누어 담으려고 합니다. 바구니는 몇 개가 필요할까요?

풀이 : (바구니의 수)
= (전체 가지의 수) ÷ (한 바구니에 담는 가지의 수)
= 36 ÷ 6 = 6(개)

답 : 6개

② 주스 24잔을 8명이 똑같이 나누어 마시면 한 명이 몇 잔씩 마실 수 있을까요?

풀이 : (한 명이 마실 수 있는 주스의 수)
= (전체 주스의 수) ÷ (사람 수)
= 24 ÷ 8 = 3(잔)

답 : 3잔

③ 냉장고에 있는 달걀 16개를 하루에 2개씩 매일 먹으려고 합니다. 달걀을 모두 먹으려면 며칠이 걸릴까요?

풀이 : (날 수)
= (전체 달걀의 수) ÷ (하루에 먹는 달걀의 수)
= 16 ÷ 2 = 8(일)

답 : 8일

④ 길이가 45 cm인 색 테이프를 9도막으로 똑같이 나누었습니다. 한 도막의 길이는 몇 cm일까요?

풀이 : (한 도막의 길이)
= (전체 색 테이프의 길이) ÷ (도막 수)
= 45 ÷ 9 = 5(cm)

답 : 5 cm

⑤ 오리 보트에 6명이 탈 수 있습니다. 민진이네 반 학생 30명이 모두 타려면 오리 보트 몇 대가 필요할까요?

풀이 : (오리 보트 수)
= (전체 학생 수) ÷ (한 대에 탈 수 있는 학생 수)
= 30 ÷ 6 = 5(대)

답 : 5대

14 C2-곱셈과 나눗셈 / 1주: 나눗셈구구 15

P 16 ~ 17

확인학습

알맞은 나눗셈식을 완성하고 답을 구하세요.

① 15를 3묶음으로 똑같이 나누면 한 묶음에 몇일까요?

식 : 15 ÷ 3 = 5 답 : 5

② 21을 7묶음으로 똑같이 나누면 한 묶음에 몇일까요?

식 : 21 ÷ 7 = 3 답 : 3

알맞은 뺄셈식과 나눗셈식을 완성하고 답을 구하세요.

③ 12에서 6을 몇 번 빼면 0이 될까요?

뺄셈식 : 12−6−6=0
나눗셈식 : 12÷6=2 답 : 2번

④ 28에서 4를 몇 번 빼면 0이 될까요?

뺄셈식 : 28−4−4−4−4−4−4−4=0
나눗셈식 : 28÷4=7 답 : 7번

주어진 곱셈식에 알맞은 나눗셈식을 쓰고 답을 구하세요.

9×3=27

⑤ 딸기 27개를 3접시에 똑같이 나누어 담으면 한 접시에 몇 개씩 담을 수 있을까요?

식 : 27÷3=9 답 : 9개

⑥ 딸기 27개를 한 접시에 9개씩 담으면 몇 접시에 나누어 담을 수 있을까요?

식 : 27÷9=3 답 : 3접시

알맞은 나눗셈식을 쓰고 답을 구하세요.

⑦ 나무 18그루를 2줄에 똑같이 나누어 심으면 한 줄에 몇 그루씩 심을 수 있을까요?

식 : 18÷2=9 답 : 9그루

⑧ 달걀 56개를 한 명에게 8개씩 주면 몇 명에게 나누어 줄 수 있을까요?

식 : 56÷8=7 답 : 7명

16 C2-곱셈과 나눗셈 / 1주: 나눗셈구구 17

P 18

확인학습

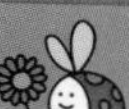

✎ 알맞은 풀이를 쓰고 답을 구하세요.

⑨ 꽈배기 28개를 한 명에게 4개씩 주면 몇 명에게 나누어 줄 수 있을까요?

풀이 : (사람 수)
= (전체 꽈배기 수) ÷ (한 명에게 주는 꽈배기 수)
= 28 ÷ 4 = 7(명)

답 : 7명

⑩ 1주일은 7일입니다. 35일은 몇 주일까요?

풀이 : (주의 수)
= (전체 날수) ÷ (한 주에 있는 날수)
= 35 ÷ 7 = 5(주)

답 : 5주

⑪ 학생 48명이 긴 의자 8개에 똑같이 나누어 앉으려고 합니다. 긴 의자 하나에 앉을 수 있는 학생은 몇 명일까요?

풀이 : (긴 의자 하나에 앉을 수 있는 학생 수)
= (전체 학생 수) ÷ (긴 의자 수)
= 48 ÷ 8 = 6(명)

답 : 6명

18 C2-곱셈과 나눗셈

P 20 ~ 21

1일 (몇십)×(몇)

몇십의 십의 자리와 몇을 곱한 후 일의 자리에 0을 넣으면 돼.

❀ 세로셈 식을 완성하고 밑줄 친 곳에 알맞은 수를 구하세요.

20 곱하기 3은 __60__ 입니다.

$$\begin{array}{r} 2\,0 \\ \times \quad 3 \\ \hline 6\,0 \end{array}$$

2×3=6

① 40 곱하기 2는 __80__ 입니다.

$$\begin{array}{r} 4\,0 \\ \times \quad 2 \\ \hline 8\,0 \end{array}$$

② 60의 3배는 __180__ 입니다.

$$\begin{array}{r} 6\,0 \\ \times \quad 3 \\ \hline 1\,8\,0 \end{array}$$

③ 70씩 5묶음은 __350__ 입니다.

$$\begin{array}{r} 7\,0 \\ \times \quad 5 \\ \hline 3\,5\,0 \end{array}$$

❀ 알맞은 식을 쓰고 답을 구하세요.

초콜릿이 한 상자에 20개씩 5상자 있습니다. 초콜릿은 모두 몇 개일까요?

식 : $\begin{array}{r} 2\,0 \\ \times \quad 5 \\ \hline 1\,0\,0 \end{array}$ 답 : __100개__

① 현지는 색종이를 60장 가지고 있고, 주온이는 현지가 가진 색종이 수의 2배만큼 가지고 있습니다. 주온이가 가진 색종이는 몇 장일까요?

식 : $\begin{array}{r} 6\,0 \\ \times \quad 2 \\ \hline 1\,2\,0 \end{array}$ 답 : __120장__

② 길이가 40 cm인 색 테이프 8장이 있습니다. 색 테이프를 겹치지 않고 모두 이어 붙인 길이는 몇 cm일까요?

식 : $\begin{array}{r} 4\,0 \\ \times \quad 8 \\ \hline 3\,2\,0 \end{array}$ 답 : __320 cm__

③ 한 조에 50명씩 5개 조의 학생들이 캠핑장에 있습니다. 캠핑장에 있는 학생들은 모두 몇 명일까요?

식 : $\begin{array}{r} 5\,0 \\ \times \quad 5 \\ \hline 2\,5\,0 \end{array}$ 답 : __250명__

20 C2-곱셈과 나눗셈 / 2주: 곱셈(1) 21

P 22 ~ 23

2일 (몇십몇)×(몇)(1)

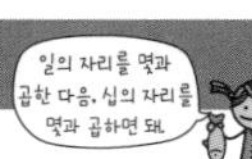

일의 자리를 몇과
곱한 다음, 십의 자리를
몇과 곱하면 돼.

❀ 세로셈 식을 완성하고 밑줄 친 곳에 알맞은 수를 구하세요.

12의 4배는 __48__ 입니다.

$$\begin{array}{r} 1\,2 \\ \times \quad 4 \\ \hline 4\,8 \end{array}$$

1×4=4 2×4=8

① 24 곱하기 2는 __48__ 입니다.

$$\begin{array}{r} 2\,4 \\ \times \quad 2 \\ \hline 4\,8 \end{array}$$

② 21의 4배는 __84__ 입니다.

$$\begin{array}{r} 2\,1 \\ \times \quad 4 \\ \hline 8\,4 \end{array}$$

③ 13씩 3묶음은 __39__ 입니다.

$$\begin{array}{r} 1\,3 \\ \times \quad 3 \\ \hline 3\,9 \end{array}$$

❀ 알맞은 식을 쓰고 답을 구하세요.

우람이는 11살이고, 우람이 할머니의 나이는 우람이 나이의 7배입니다. 할머니의 나이는 몇 살일까요?

식 : $\begin{array}{r} 1\,1 \\ \times \quad 7 \\ \hline 7\,7 \end{array}$ 답 : __77살__

① 곶감이 한 상자에 23개씩 3상자 있습니다. 곶감은 모두 몇 개일까요?

식 : $\begin{array}{r} 2\,3 \\ \times \quad 3 \\ \hline 6\,9 \end{array}$ 답 : __69개__

② 희수의 몸무게는 41 kg이고, 희수 아빠의 몸무게는 희수 몸무게의 2배입니다. 희수 아빠는 몇 kg일까요?

식 : $\begin{array}{r} 4\,1 \\ \times \quad 2 \\ \hline 8\,2 \end{array}$ 답 : __82 kg__

③ 경수는 소설책을 하루에 12쪽씩 읽었습니다. 경수가 3일 동안 읽은 소설책은 모두 몇 쪽일까요?

식 : $\begin{array}{r} 1\,2 \\ \times \quad 3 \\ \hline 3\,6 \end{array}$ 답 : __36쪽__

22 C2-곱셈과 나눗셈 / 2주: 곱셈(1) 23

P 24 ~ 25

3일 (몇십몇)×(몇)(2)

각 자리의 곱이 두 자리 수가 되면 십의 자리 숫자를 올림해.

세로셈 식을 완성하고 밑줄 친 곳에 알맞은 수를 구하세요.

24씩 3 묶음은 72 입니다.

$24 \times 3 = 72$ (2×3=6 4×3=12)

① 17 곱하기 5는 85 입니다. $17 \times 5 = 85$

② 21의 7배는 147 입니다. $21 \times 7 = 147$

③ 32씩 4묶음은 128 입니다. $32 \times 4 = 128$

알맞은 식을 쓰고 답을 구하세요.

주아는 하루에 종이비행기를 13개씩 접습니다. 주아가 일주일 동안 접는 종이비행기는 모두 몇 개일까요?

식 : $13 \times 7 = 91$ 답 : 91개

① 키가 38 cm인 나무가 한 달 동안 키가 2배로 자랐습니다. 나무의 키는 몇 cm일까요?

식 : $38 \times 2 = 76$ 답 : 76 cm

② 3학년 각 반에 공책 41권을 나누어 주려고 합니다. 3학년은 5반까지 있을 때 필요한 공책은 모두 몇 권일까요?

식 : $41 \times 5 = 205$ 답 : 205권

③ 어느 나라의 공주는 구두를 63켤레 가지고 있고, 왕비는 공주가 가진 구두 수의 3배만큼 구두를 가지고 있습니다. 왕비가 가진 구두는 몇 켤레일까요?

식 : $63 \times 3 = 189$ 답 : 189켤레

24 C2-곱셈과 나눗셈 2주: 곱셈(1) 25

P 26 ~ 27

4일 (몇십몇)×(몇)(3)

올림이 2번 있는 경우 일의 자리, 십의 자리 순서로 해야 해.

세로셈 식을 완성하고 밑줄 친 곳에 알맞은 수를 구하세요.

34 곱하기 5는 170 입니다.

$34 \times 5 = 170$ (3×5=15 4×5=20)

① 28 곱하기 6은 168 입니다. $28 \times 6 = 168$

② 73의 4배는 292 입니다. $73 \times 4 = 292$

③ 56씩 7묶음은 392 입니다. $56 \times 7 = 392$

알맞은 식을 쓰고 답을 구하세요.

1시간에 1명이 인형 12개를 만들 수 있습니다. 9명이 1시간 동안 만들 수 있는 인형은 몇 개일까요?

식 : $12 \times 9 = 108$ 답 : 108개

① 노마는 우표를 44장 모았고, 경호는 노마가 모은 우표 수의 5배만큼 모았습니다. 경호가 모은 우표는 몇 장일까요?

식 : $44 \times 5 = 220$ 답 : 220장

② 한 주머니에 금화가 36개 들어 있습니다. 주머니 6개에 들어 있는 금화는 모두 몇 개일까요?

식 : $36 \times 6 = 216$ 답 : 216개

③ 희제네 반에서는 한 달에 재활용품을 75 kg씩 모으려고 합니다. 희제네 반에서 8달 동안 모으는 재활용품은 몇 kg일까요?

식 : $75 \times 8 = 600$ 답 : 600 kg

26 C2-곱셈과 나눗셈 2주: 곱셈(1) 27

2주 곱셈(1)

P 28 ~ 29

5일 곱셈 풀이

'몇 상자', '몇 배'와 같은 말이 나오면 곱셈으로 풀어야 해.

알맞은 풀이를 쓰고 답을 구하세요.

갈치가 한 상자에 15마리씩 6상자 있습니다. 갈치는 모두 몇 마리일까요?

풀이 : (전체 갈치 수)
= (한 상자에 있는 갈치 수) × (상자 수)
= 15 × 6 = 90(마리)

답 : 90마리

① 현우는 하루에 수학 문제를 27문제 풀기로 했습니다. 현우가 일주일 동안 풀어야 하는 수학 문제는 모두 몇 문제일까요?

풀이 : (전체 수학 문제 수)
= (하루에 풀기로 한 수학 문제 수) × (날수)
= 27 × 7 = 189(문제)

답 : 189문제

② 여우의 몸무게는 35 kg이고, 곰의 몸무게는 여우 몸무게의 4배와 같습니다. 곰은 몇 kg일까요?

풀이 : (곰의 몸무게)
= (여우 몸무게) × (여우 몸무게의 몇 배)
= 35 × 4 = 140(kg)

답 : 140 kg

③ 연못에 사는 올챙이가 하루에 56마리씩 늘어납니다. 6일 동안 늘어나는 올챙이는 몇 마리일까요?

풀이 : (늘어나는 전체 올챙이 수)
= (하루에 늘어나는 올챙이 수) × (날수)
= 56 × 6 = 336(마리)

답 : 336마리

④ 길이가 70 cm인 막대 9개를 겹치지 않게 이어 붙인 길이는 몇 cm일까요?

풀이 : (이어 붙인 길이)
= (막대 하나의 길이) × (막대 수)
= 70 × 9 = 630(cm)

답 : 630 cm

⑤ 고모의 나이는 44살이고, 할머니의 나이는 고모 나이의 2배와 같습니다. 할머니의 나이는 몇 살일까요?

풀이 : (할머니 나이)
= (고모 나이) × (고모 나이의 몇 배)
= 44 × 2 = 88(살)

답 : 88살

P 30 ~ 31

확인학습

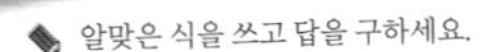

알맞은 식을 쓰고 답을 구하세요.

① 지은이는 10살이고 지은이 엄마의 나이는 지은이 나이의 4배입니다. 지은이 엄마는 몇 살일까요?

식 : $10 \times 4 = 40$ 답 : 40살

② 귤이 한 봉지에 30개씩 8봉지 있습니다. 귤은 모두 몇 개일까요?

식 : $30 \times 8 = 240$ 답 : 240개

③ 학생들이 한 버스에 22명씩 버스 4대에 나누어 탔습니다. 버스에 탄 학생은 모두 몇 명일까요?

식 : $22 \times 4 = 88$ 답 : 88명

④ 예지는 숙제를 하는 데 31분이 걸렸고, 수찬이는 예지가 걸린 시간의 2배만큼 걸렸습니다. 수찬이가 숙제를 하는 데 걸린 시간은 몇 분일까요?

식 : $31 \times 2 = 62$ 답 : 62분

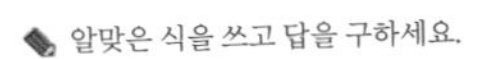

알맞은 식을 쓰고 답을 구하세요.

⑤ 한 봉지에 사탕 19개가 들어 있습니다. 3봉지에 들어 있는 사탕은 모두 몇 개일까요?

식 : $19 \times 3 = 57$ 답 : 57개

⑥ 운동장은 한 변의 길이가 72 m인 정사각형 모양입니다. 운동장의 둘레는 몇 m일까요?

식 : $72 \times 4 = 288$ 답 : 288 m

⑦ 다리가 8개인 문어 18마리가 있습니다. 문어 다리는 모두 몇 개일까요?

식 : $18 \times 8 = 144$ 답 : 144개

⑧ 어느 공장에서 자동차 1대를 만드는 데 87시간이 걸립니다. 자동차 4대를 만드는 데 걸리는 시간은 몇 시간일까요?

식 : $87 \times 4 = 348$ 답 : 348시간

P 32

확인학습

알맞은 풀이를 쓰고 답을 구하세요.

⑨ 명재는 하루에 50원씩 일주일 동안 돈을 모았습니다. 명재가 모은 돈은 모두 얼마일까요?

풀이 : (전체 모은 돈)
= (하루에 모은 돈) × (날수)
= 50 × 7 = 350(원)

답 : 350원

⑩ 지민이는 칭찬 스티커를 36장 모았고, 지환이는 지민이가 모은 칭찬 스티커 수의 3배만큼 모았습니다. 지환이가 모은 칭찬 스티커는 몇 장일까요?

풀이 : (지환이의 스티커 수)
= (지민이의 스티커 수) × (지민이의 스티커 수의 몇 배)
= 36 × 3 = 108(장)

답 : 108장

⑪ 조립 로봇이 부품 하나를 조립하는 데 96초가 걸립니다. 부품 8개를 조립하는 데 걸리는 시간은 몇 초일까요?

풀이 : (전체 걸리는 시간)
= (부품 하나를 조립하는 데 걸리는 시간) × (부품 수)
= 96 × 8 = 768(초)

답 : 768초

32 C2-곱셈과 나눗셈

P 34 ~ 35

1일 (세 자리 수)×(한 자리 수)(1)

일의 자리, 십의 자리, 백의 자리 순서로 계산해야 해.

세로셈 식을 완성하고 밑줄 친 곳에 알맞은 수를 구하세요.

443 곱하기 5는 2215 입니다.

$$\begin{array}{r} 4\,4\,3 \\ \times \quad 5 \\ \hline 2\,2\,1\,5 \end{array}$$

4×5=20 4×5=20 3×5=15

① 314 곱하기 2는 628 입니다.

$$\begin{array}{r} 3\,1\,4 \\ \times \quad 2 \\ \hline 6\,2\,8 \end{array}$$

② 720의 3배는 2160 입니다.

$$\begin{array}{r} 7\,2\,0 \\ \times \quad 3 \\ \hline 2\,1\,6\,0 \end{array}$$

③ 258씩 7묶음은 1806 입니다.

$$\begin{array}{r} 2\,5\,8 \\ \times \quad 7 \\ \hline 1\,8\,0\,6 \end{array}$$

알맞은 식을 쓰고 답을 구하세요.

토마토가 한 상자에 200개씩 들어 있습니다. 7상자에는 토마토가 모두 몇 개 들어 있을까요?

식 : 200×7=1400 답 : 1400개

① 길이가 133 cm인 막대 3개를 겹치지 않게 이어 붙인 길이는 몇 cm일까요?

식 : 133×3=399 답 : 399 cm

② 우진이는 하루에 360원씩 저금통에 넣습니다. 우진이가 5일 동안 저금통에 넣은 돈은 얼마일까요?

식 : 360×5=1800 답 : 1800원

③ 학생 730명에게 색종이를 5장씩 나누어 주려고 합니다. 필요한 색종이는 모두 몇 장일까요?

식 : 730×5=3650 답 : 3650장

34 C2-곱셈과 나눗셈 3주: 곱셈(2) 35

P 36 ~ 37

2일 (세 자리 수)×(한 자리 수)(2)

곱해야 하는 두 수를 잘 찾아서 식을 만들어야 해.

알맞은 식을 쓰고 답을 구하세요.

아린이네 가족은 자동차를 타고 215 km를 갔고, 우상이네 가족은 아린이네 가족이 간 거리의 3배만큼 갔습니다. 우상이네 가족이 간 거리는 몇 km일까요?

식 : 215×3=645 답 : 645 km

① 어느 나라의 돈 1쿠퍼는 우리나라 돈 307원과 같습니다. 4쿠퍼는 우리나라 돈 얼마와 같을까요?

식 : 307×4=1228 답 : 1228원

② 재호는 한 달에 수학 문제 196문제를 풀려고 합니다. 재호가 5달 동안 풀어야 하는 수학 문제는 몇 문제일까요?

식 : 196×5=980 답 : 980문제

③ 승객이 한 번에 413명씩 탈 수 있는 열차가 하루에 6번 운행됩니다. 하루에 열차를 탈 수 있는 승객은 몇 명일까요?

식 : 413×6=2478 답 : 2478명

알맞은 풀이를 쓰고 답을 구하세요.

윤년이 아닌 평년은 365일입니다. 평년인 2021년 1월 1일부터 2023년 12월 31일까지는 모두 며칠일까요?

풀이 : (전체 날수)
= (평년의 날수) × (평년의 수)
= 365 × 3 = 1095(일)

답 : 1095일

① 진애가 엄마를 도우면 한 시간에 420원씩 용돈을 받습니다. 진애가 엄마를 6시간 동안 도왔다면 얼마를 받게 될까요?

풀이 : (받는 용돈)
= (시간당 받는 용돈) × (시간)
= 420 × 6 = 2520(원)

답 : 2520원

② 고구마 1개를 먹으면 몸속에서 열량은 154칼로리가 발생합니다. 고구마 5개를 먹으면 발생하는 열량은 몇 칼로리일까요?

풀이 : (전체 열량)
= (고구마 1개의 열량) × (고구마 수)
= 154 × 5 = 770(칼로리)

답 : 770칼로리

36 C2-곱셈과 나눗셈 3주: 곱셈(2) 37

P 38 ~ 39

3일 (두 자리 수)×(두 자리 수)(1)

세로셈 식을 완성하고 밑줄 친 곳에 알맞은 수를 구하세요.

14 곱하기 36은 504 입니다.

	1	4
×	3	6
	8	4
4	2	0
5	0	4

14×6=84
14×30=420

① 30 곱하기 26은 780 입니다.

	3	0
×	2	6
1	8	0
6	0	0
7	8	0

② 35의 14배는 490 입니다.

	3	5
×	1	4
1	4	0
3	5	0
4	9	0

③ 28씩 67묶음은 1876 입니다.

		2	8
	×	6	7
	1	9	6
1	6	8	0
1	8	7	6

첫째 수를 둘째 수의 십의 자리, 일의 자리와 각각 곱하는 거야.

알맞은 식을 쓰고 답을 구하세요.

강당에 학생들이 한 줄에 12명씩 30줄로 서 있습니다. 줄을 서 있는 학생은 모두 몇 명일까요?

식 : 12×30=360　답 : 360명

① 민후는 윗몸 일으키기를 하루에 60번씩 30일 동안 하려고 합니다. 민후는 윗몸 일으키기를 모두 몇 번 할까요?

식 : 60×30=1800　답 : 1800번

② 한 접시에 케이크를 11조각씩 담았습니다. 37접시에 담겨 있는 케이크는 모두 몇 조각일까요?

식 : 11×37=407　답 : 407조각

③ 무게가 40 g이 되도록 가공된 보석이 있습니다. 보석 36개의 무게는 모두 몇 g일까요?

식 : 40×36=1440　답 : 1440 g

38 C2-곱셈과 나눗셈　3주: 곱셈(2) 39

P 40 ~ 41

4일 (두 자리 수)×(두 자리 수)(2)

알맞은 식을 쓰고 답을 구하세요.

사과가 한 상자에 34개씩 들어 있습니다. 27상자에 들어 있는 사과는 모두 몇 개일까요?

식 : 34×27=918　답 : 918개

① 운동장에 깃발이 한 줄에 14개씩 52줄 놓여 있습니다. 운동장에 놓인 깃발은 모두 몇 개일까요?

식 : 14×52=728　답 : 728개

② 자동차 공장에서 하루에 자동차 81대를 만들어냅니다. 이 공장에서 27일 동안 만들 수 있는 자동차는 모두 몇 대일까요?

식 : 81×27=2187　답 : 2187대

③ 버스 1대에 학생 48명이 타고 있습니다. 버스 63대에 타고 있는 학생은 모두 몇 명일까요?

식 : 48×63=3024　답 : 3024명

풀이의 식은 가로셈으로 쓰고, 계산은 세로셈으로 해 봐.

알맞은 풀이를 쓰고 답을 구하세요.

지원이는 고양이에게 하루에 사료를 40 g씩 줍니다. 지원이가 75일 동안 고양이에게 주는 사료는 몇 g일까요?

풀이 : (전체 사료 무게)
= (하루에 주는 사료 무게) × (날수)
= 40 × 75 = 3000(g)

답 : 3000 g

① 재민이는 칭찬 스티커 한 장을 모을 때마다 엄마에게 55원을 받기로 했습니다. 재민이가 모은 칭찬 스티커가 16장일 때 엄마에게 받는 돈은 얼마일까요?

풀이 : (받는 돈)
= (칭찬 스티커 한 장당 받는 돈) × (칭찬 스티커 수)
= 55 × 16 = 880(원)

답 : 880원

② 공책이 한 상자에 33권 들어 있습니다. 69상자에 들어 있는 공책은 모두 몇 권일까요?

풀이 : (전체 공책 수)
= (한 상자에 들어 있는 공책 수) × (상자 수)
= 33 × 69 = 2277(권)

답 : 2277권

40 C2-곱셈과 나눗셈　3주: 곱셈(2) 41

P 42 ~ 43

5일 잘못된 계산

곱셈을 덧셈이나 뺄셈으로 잘못 풀면 답이 크게 차이가 나.

잘못된 계산을 보고 올바르게 계산한 값을 구하세요.

어떤 수에 5를 곱해야 할 것을 잘못하여 뺐더니 130이 되었습니다. 올바르게 계산한 값은 얼마일까요?

식 ①: □−5=130 (130+5=□) 어떤 수: 135

식 ②: 135×5=675 답: 675

① 어떤 수에 8을 곱해야 할 것을 잘못하여 더했더니 204가 되었습니다. 올바르게 계산한 값은 얼마일까요?

식 ①: □+8=204 어떤 수: 196

식 ②: 196×8=1568 답: 1568

② 어떤 수에 40을 곱해야 할 것을 잘못하여 뺐더니 12가 되었습니다. 올바르게 계산한 값은 얼마일까요?

식 ①: □−40=12 어떤 수: 52

식 ②: 52×40=2080 답: 2080

③ 어떤 수에 3을 곱해야 할 것을 잘못하여 뺐더니 99가 되었습니다. 올바르게 계산한 값은 얼마일까요?

식 ①: □−3=99 어떤 수: 102

식 ②: 102×3=306 답: 306

④ 어떤 수에 25를 곱해야 할 것을 잘못하여 더했더니 88이 되었습니다. 올바르게 계산한 값은 얼마일까요?

식 ①: □+25=88 어떤 수: 63

식 ②: 63×25=1575 답: 1575

⑤ 어떤 수에 9를 곱해야 할 것을 잘못하여 더했더니 242가 되었습니다. 올바르게 계산한 값은 얼마일까요?

식 ①: □+9=242 어떤 수: 233

식 ②: 233×9=2097 답: 2097

42 C2-곱셈과 나눗셈 3주: 곱셈(2) 43

P 44 ~ 45

확인학습

알맞은 식을 쓰고 답을 구하세요.

① 수하는 책을 사려고 하루에 450원씩 8일 동안 돈을 모았습니다. 수하가 모은 돈은 얼마일까요?

식: 450×8=3600 답: 3600원

② 좌석이 288개인 극장에 좌석마다 화장지를 3장씩 놓으려고 합니다. 필요한 화장지는 모두 몇 장일까요?

식: 288×3=864 답: 864장

③ 서현이는 책을 하루에 27쪽씩 읽으려고 합니다. 서현이가 80일 동안 읽을 수 있는 책은 모두 몇 쪽일까요?

식: 27×80=2160 답: 2160쪽

④ 학생 1명에게 연필을 16자루 나누어 주려고 합니다. 72명에게 나누어 주려면 연필이 모두 몇 자루 필요할까요?

식: 16×72=1152 답: 1152자루

알맞은 풀이를 쓰고 답을 구하세요.

⑤ 지철이는 식사 대신 열량이 213칼로리인 에너지바를 먹으려고 합니다. 지철이가 에너지바 3개를 먹고 얻을 수 있는 열량은 몇 칼로리일까요?

풀이: (전체 열량)
= (에너지바 하나의 열량) × (에너지바의 수)
= 213 × 3 = 639(칼로리)

답: 639칼로리

⑥ 우찬이는 자전거로 하루에 15km를 달리는 운동을 했습니다. 우찬이가 70일 동안 자전거로 달린 거리는 모두 몇 km일까요?

풀이: (전체 달린 거리)
= (하루에 달린 거리) × (날 수)
= 15 × 70 = 1050(km)

답: 1050 km

⑦ 주원이는 일주일에 580 g씩 살을 빼는 다이어트를 하려고 합니다. 주원이가 7주 동안 뺄 수 있는 살은 몇 g일까요?

풀이: (7주 동안 뺄 수 있는 무게)
= (일주일 동안 빼는 무게) × (주의 수)
= 580 × 7 = 4060(g)

답: 4060 g

44 C2-곱셈과 나눗셈 3주: 곱셈(2) 45

P 46

확인학습

잘못된 계산을 보고 올바르게 계산한 값을 구하세요.

⑧ 어떤 수에 28을 곱해야 할 것을 잘못하여 더했더니 53이 되었습니다. 올바르게 계산한 값은 얼마일까요?

식 ① : □+28=53 어떤 수 : 25

식 ② : 25×28=700 답 : 700

⑨ 어떤 수에 36을 곱해야 할 것을 잘못하여 뺐더니 8이 되었습니다. 올바르게 계산한 값은 얼마일까요?

식 ① : □−36=8 어떤 수 : 44

식 ② : 44×36=1584 답 : 1584

⑩ 어떤 수에 7을 곱해야 할 것을 잘못하여 더했더니 187이 되었습니다. 올바르게 계산한 값은 얼마일까요?

식 ① : □+7=187 어떤 수 : 180

식 ② : 180×7=1260 답 : 1260

46 C2-곱셈과 나눗셈

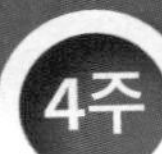

P 48 ~ 49

1일 (두 자리 수)÷(한 자리 수)(1)

나눗셈 식의 맨 아랫줄에 0이 나오면 나누어떨어진다고 해.

알맞은 식을 쓰고 답을 구하세요.

학생 30명을 똑같이 2모둠으로 나누면 한 모둠에 학생은 몇 명일까요?

식 : 30÷2=15 답 : 15명

① 사탕 40개를 4접시에 똑같이 나누어 담으면 한 접시에 몇 개씩 담을 수 있을까요?

식 : 40÷4=10 답 : 10개

② 색종이 66장을 3명에게 똑같이 나누어 주면 한 명에게 몇 장씩 줄 수 있을까요?

식 : 66÷3=22 답 : 22장

③ 72쪽짜리 책을 3일 동안 하루에 똑같은 쪽 수를 매일 읽어서 모두 읽으려면 하루에 몇 쪽씩 읽어야 할까요?

식 : 72÷3=24 답 : 24쪽

④ 쌓기나무 90개를 교구 주머니 5개에 나누어 담으면 한 교구 주머니에 몇 개씩 담을 수 있을까요?

식 : 90÷5=18 답 : 18개

알맞은 식을 쓰고 답을 구하세요.

사과 36개를 한 명당 3개씩 나누어 주면 몇 명에게 나누어 줄 수 있을까요?

식 : 36÷3=12 답 : 12명

① 스티커 68장을 한 색종이에 4개씩 붙이면 색종이 몇 장에 붙일 수 있을까요?

식 : 68÷4=17 답 : 17장

② 딱풀 64개를 한 명당 4개씩 나누어 주면 몇 명에게 나누어 줄 수 있을까요?

식 : 64÷4=16 답 : 16명

③ 수학 문제 70문제를 한 명당 5문제씩 나누어 풀면 몇 명이 풀 수 있을까요?

식 : 70÷5=14 답 : 14명

④ 쿠키 36개를 한 접시에 2개씩 나누어 담으면 몇 접시에 담을 수 있을까요?

식 : 36÷2=18 답 : 18접시

48 C2-곱셈과 나눗셈 4주: 몫과 나머지 49

P 50 ~ 51

2일 (두 자리 수)÷(한 자리 수)(2)

나눗셈에서 나누어떨어지지 않고 남는 수를 나머지라고 해.

알맞은 식을 쓰고 답을 구하세요.

연필이 23자루 있습니다. 5명이 똑같이 나누어 가진다면 한 명이 연필을 몇 자루씩 가질 수 있고, 몇 자루가 남을까요?

식 : 23÷5=4···3 답 : 4자루, 3자루

① 딸기 49개를 6접시에 똑같이 나누어 담으려고 합니다. 한 접시에 몇 개씩 담을 수 있고, 몇 개가 남을까요?

식 : 49÷6=8···1 답 : 8개, 1개

② 색종이 55장을 한 명당 8장씩 나누어 주려고 합니다. 몇 명에게 나누어 줄 수 있고, 몇 장이 남을까요?

식 : 55÷8=6···7 답 : 6명, 7장

③ 파인애플 83개를 한 상자에 6개씩 나누어 담으려고 합니다. 몇 상자에 담을 수 있고, 몇 개가 남을까요?

식 : 83÷6=13···5 답 : 13상자, 5개

알맞은 식을 쓰고 답을 구하세요.

사과 90개를 한 봉지에 8개씩 담아 팔려고 합니다. 사과를 몇 봉지까지 팔 수 있을까요?

식 : 90÷8=11···2 답 : 11봉지

남는 2개는 팔 수 없어요.

① 지우개 25개를 한 명당 2개씩 나누어 주려고 합니다. 지우개를 몇 명까지 나누어 줄 수 있을까요?

식 : 25÷2=12···1 답 : 12명

② 학생 47명을 보트에 태우려고 합니다. 보트 하나에 3명씩 탈 수 있을 때 학생들이 모두 타려면 보트는 적어도 몇 대 있어야 할까요?

식 : 47÷3=15···2 답 : 16대

③ 농구공 51개를 상자에 나누어 담으려고 합니다. 한 상자에 7개까지 담을 수 있을 때 농구공을 남김없이 모두 담으려면 상자는 적어도 몇 상자 필요할까요?

식 : 51÷7=7···2 답 : 8상자

50 C2-곱셈과 나눗셈 4주: 몫과 나머지 51

P 52 ~ 53

3일 (세 자리 수)÷(한 자리 수)(1)

알맞은 식을 쓰고 답을 구하세요.

야구공 640개를 8상자에 똑같이 나누어 담으려고 합니다. 한 상자에 몇 개씱 담을 수 있을까요?

```
   8 0
8)6 4 0
  6 4 ○
      0
```

식: 640÷8=80 답: 80개

① 색 테이프 800 cm가 있습니다. 이 색 테이프를 똑같은 길이의 5도막으로 나누면 한 도막의 길이는 몇 cm일까요?

식: 800÷5=160 답: 160 cm

② 학교 행사에서 풍선 288개를 준비했습니다. 풍선을 6개 반에 똑같이 나누어 주면 한 반에 풍선을 몇 개씩 줄 수 있을까요?

식: 288÷6=48 답: 48개

③ 냉동실에 얼음 228개를 얼렸습니다. 얼음을 4통에 똑같이 나누어 담으면 한 통에 몇 개씩 담을 수 있을까요?

식: 228÷4=57 답: 57개

높은 자리부터 차근차근 순서대로 몫을 찾아가면 돼.

알맞은 식을 쓰고 답을 구하세요.

크리스마스 씰 475장을 한 명당 5장씩 나누어 주려고 합니다. 몇 명에게 나누어 줄 수 있을까요?

```
   9 5
5)4 7 5
  4 5 ○
    2 5
    2 5
      0
```

식: 475÷5=95 답: 95명

① 빵집에서 크림빵 270개를 만들었습니다. 한 봉지에 6개씩 똑같이 나누어 포장하려면 봉지가 몇 개 필요할까요?

식: 270÷6=45 답: 45개

② 헌책 630권을 모으려고 합니다. 한 사람이 3권씩 가져올 수 있다면 몇 명이 필요할까요?

식: 630÷3=210 답: 210명

③ 식당에서 컵케이크 432개를 만들었습니다. 한 접시에 8개씩 놓으려면 접시가 몇 개 필요할까요?

식: 432÷8=54 답: 54개

P 54 ~ 55

4일 (세 자리 수)÷(한 자리 수)(2)

알맞은 식을 쓰고 답을 구하세요.

팽이 100개를 3명이 똑같이 나누어 가지려고 합니다. 한 명이 몇 개씩 가질 수 있고, 몇 개가 남을까요?

식: 100÷3=33···1 답: 33개, 1개

① 장미 123송이를 꽃병 5개에 똑같이 나누어 꽂으려고 합니다. 꽃병 하나에 몇 송이를 꽂을 수 있고, 몇 송이가 남을까요?

식: 123÷5=24···3 답: 24송이, 3송이

② 색 테이프 293 cm를 길이가 8 cm인 도막으로 나누려고 합니다. 몇 도막으로 나눌 수 있고, 색 테이프는 몇 cm가 남을까요?

식: 293÷8=36···5 답: 36도막, 5 cm

③ 1년은 365일입니다. 1년은 몇 주이고, 며칠이 남을까요?

식: 365÷7=52···1 답: 52주, 1일

나머지가 나누는 수보다 더 크면 잘못 계산한 거야.

알맞은 식을 쓰고 답을 구하세요.

곰 인형 250개를 상자에 담으려고 합니다. 한 상자에 9개씩 담을 수 있을 때 곰 인형을 남김없이 모두 담으려면 상자는 적어도 몇 상자가 필요할까요?

식: 250÷9=27···7 답: 28상자

몫보다 1상자 더 필요해요.

① 빵집에서 만든 빵 412개를 5개씩 포장해 팔려고 합니다. 팔 수 있는 빵은 모두 몇 개일까요?

식: 412÷5=82···2 답: 410개

② 사탕 146개를 한 사람당 3개씩 나누어 주려고 합니다. 사탕을 몇 명에게 나누어 줄 수 있을까요?

식: 146÷3=48···2 답: 

③ 503쪽짜리 소설책을 하루에 7쪽씩 읽으려고 합니다. 소설책을 남김없이 모두 읽으려면 적어도 며칠이 필요할까요?

식: 503÷7=71···6 답: 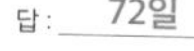

4주 몫과 나머지

P 56 ~ 57

5일 나누어지는 수 구하기

나누는 수와 몫을 곱한 다음, 나머지를 더하면 나누어지는 수!

□가 있는 나눗셈식과 검산식을 쓰고 답을 구하세요.

어떤 수를 9로 나누었더니 몫이 5, 나머지가 4가 되었습니다. 어떤 수는 얼마일까요?

나눗셈식 : □÷9=5…4

검산식 : 9×5=45, 45+4=49 답 : 49

① 어떤 수를 6으로 나누었더니 몫이 13, 나머지가 1이 되었습니다. 어떤 수는 얼마일까요?

나눗셈식 : □÷6=13…1

검산식 : 6×13=78, 78+1=79 답 : 79

② 어떤 수를 8로 나누었더니 몫이 15, 나머지가 7이 되었습니다. 어떤 수는 얼마일까요?

나눗셈식 : □÷8=15…7

검산식 : 8×15=120, 120+7=127 답 : 127

□가 있는 나눗셈식과 검산식을 쓰고 답을 구하세요.

냉장고에 있던 체리를 5명에게 똑같이 나누어 주었더니 한 명당 20개씩 주었고, 3개가 남았습니다. 체리는 모두 몇 개일까요?

나눗셈식 : □÷5=20…3

검산식 : 5×20=100, 100+3=103 답 : 103개

① 민주가 만든 머핀을 한 접시에 4개씩 담았더니 19접시에 담겼고, 2개가 남았습니다. 민주가 만든 머핀은 모두 몇 개일까요?

나눗셈식 : □÷4=19…2

검산식 : 4×19=76, 76+2=78 답 : 78개

② 장난감 자동차를 한 줄에 7대씩 놓았더니 25줄이 되었고 4대가 남았습니다. 장난감 자동차는 모두 몇 대일까요?

나눗셈식 : □÷7=25…4

검산식 : 7×25=175, 175+4=179 답 : 179대

56 C2-곱셈과 나눗셈 4주: 몫과 나머지 57

P 58 ~ 59

확인학습

알맞은 식을 쓰고 답을 구하세요.

① 곶감 60개를 3상자에 똑같이 나누어 담으면 한 상자에 몇 개씩 담을 수 있을까요?

식 : 60÷3=20 답 : 20개

② 84쪽짜리 책을 하루에 7쪽씩 매일 읽으면 며칠 만에 다 읽을 수 있을까요?

식 : 84÷7=12 답 : 12일

알맞은 식을 쓰고 답을 구하세요.

③ 공책 39권을 한 봉투에 2권씩 나누어 담으려고 합니다. 필요한 봉투는 몇 개이고, 남는 공책은 몇 권일까요?

식 : 39÷2=19…1 답 : 19개, 1권

④ 별사탕 62개를 6명이 똑같이 나누어 먹으려고 합니다. 한 사람이 몇 개씩 먹을 수 있고, 몇 개가 남을까요?

식 : 62÷6=10…2 답 : 10개, 2개

알맞은 식을 쓰고 답을 구하세요.

⑤ 강아지 운동회에 강아지 170마리가 모였습니다. 강아지를 2팀으로 나누면 한 팀에 강아지 몇 마리가 있을까요?

식 : 170÷2=85 답 : 85마리

⑥ 공책 246권을 한 명당 6권씩 똑같이 나누어 주려고 합니다. 몇 명에게 나누어 줄 수 있을까요?

식 : 246÷6=41 답 : 41명

알맞은 식을 쓰고 답을 구하세요.

⑦ 주사위 320개를 한 상자에 6개씩 포장하여 나누어 주려고 합니다. 몇 상자까지 나누어 줄 수 있을까요?

식 : 320÷6=53…2 답 : 53상자

⑧ 캠핑에 참가한 학생 435명이 한 텐트에 9명씩 자려고 합니다. 모든 학생이 남김없이 텐트에 들어가려면 텐트는 적어도 몇 개 필요할까요?

식 : 435÷9=48…3 답 : 49개

58 C2-곱셈과 나눗셈 4주: 몫과 나머지 59

P 60

확인학습

✎ □가 있는 나눗셈식과 검산식을 쓰고 답을 구하세요.

⑨ 어떤 수를 3으로 나누었더니 몫이 51, 나머지가 2가 되었습니다. 어떤 수는 얼마일까요?

나눗셈식 : □÷3=51…2

검산식 : 3×51=153, 153+2=155 답 : 155

⑩ 고무줄을 손가락 5개에 똑같이 나누어 걸었더니 한 손가락에 14개씩 걸렸고, 2개가 남았습니다. 고무줄은 모두 몇 개일까요?

나눗셈식 : □÷5=14…2

검산식 : 5×14=70, 70+2=72 답 : 72개

⑪ 창주가 모은 우표를 6명에게 똑같이 나누어 주었더니 한 명당 16장씩 가지게 되었고, 5장이 남았습니다. 창주가 모은 우표는 모두 몇 장일까요?

나눗셈식 : □÷6=16…5

검산식 : 6×16=96, 96+5=101 답 : 101장

60 C2-곱셈과 나눗셈

P62 ~ 63

1회차 진단평가

월 일
제한 시간 10분
맞은 개수 / 6개

✎ 알맞은 나눗셈식을 완성하고 답을 구하세요.

① 18을 2묶음으로 똑같이 나누면 한 묶음에 몇일까요?

식 : 18 ÷ 2 = 9　답 : 9

② 20을 4묶음으로 똑같이 나누면 한 묶음에 몇일까요?

식 : 20 ÷ 4 = 5　답 : 5

✎ 알맞은 풀이를 쓰고 답을 구하세요.

③ 영화관에 한 번에 입장할 수 있는 관객은 84명입니다. 영화관에 5번 입장할 수 있는 관객은 몇 명일까요?

풀이 : (전체 관객 수)
= (한 번에 입장할 수 있는 관객 수) × (입장 횟수)
= 84 × 5 = 420(명)

답 : 420명

✎ 알맞은 풀이를 쓰고 답을 구하세요.

④ 찬호는 84 m 길이의 트랙을 41번 반복하여 달렸습니다. 찬호가 달린 거리는 모두 몇 m일까요?

풀이 : (달린 거리)
= (트랙의 길이) × (반복하여 달린 횟수)
= 84 × 41 = 3444(m)

답 : 3444 m

✎ 알맞은 식을 쓰고 답을 구하세요.

⑤ 어버이날을 맞아 종이꽃 135개를 만들려고 합니다. 9명이 똑같이 나누어 만들려면 한 명이 몇 개씩 만들어야 할까요?

식 : 135÷9=15　답 : 15개

⑥ 금붕어 552마리를 어항 하나에 6마리씩 나누어 넣으려고 합니다. 어항은 몇 개 필요할까요?

식 : 552÷6=92　답 : 92개

P 64 ~ 65

2회차 진단평가

월 일
제한 시간 10분
맞은 개수 / 7개

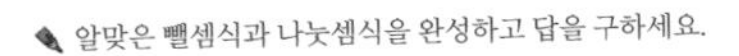

✎ 알맞은 뺄셈식과 나눗셈식을 완성하고 답을 구하세요.

① 과자 27개를 한 접시에 9개씩 담으려고 합니다. 접시는 몇 접시 필요할까요?

뺄셈식 : 27-9-9-9=0

나눗셈식 : 27÷9=3　답 : 3접시

② 초콜릿 36개를 한 명에게 6개씩 주려고 합니다. 몇 명에게 나누어 줄 수 있을까요?

뺄셈식 : 36-6-6-6-6-6-6=0

나눗셈식 : 36÷6=6　답 : 6명

✎ 알맞은 식을 쓰고 답을 구하세요.

③ 현태는 1분에 줄넘기를 60번씩 넘고 있습니다. 현태가 5분 동안 넘은 줄넘기는 모두 몇 번일까요?

식 : $\begin{array}{r} 60 \\ \times \quad 5 \\ \hline 300 \end{array}$　답 : 300번

④ 구슬이 한 줄에 80개씩 7줄 있습니다. 구슬은 모두 몇 개일까요?

식 : $\begin{array}{r} 80 \\ \times \quad 7 \\ \hline 560 \end{array}$　답 : 560개

✎ 잘못된 계산을 보고 올바르게 계산한 값을 구하세요.

⑤ 어떤 수에 4를 곱해야 할 것을 잘못하여 뺐더니 378이 되었습니다. 올바르게 계산한 값은 얼마일까요?

식 ① : □-4=378　어떤 수 : 382

식 ② : 382×4=1528　답 : 1528

✎ 알맞은 식을 쓰고 답을 구하세요.

⑥ 로하는 초콜릿을 301개 만들어 한 친구당 4개씩 나누어 주려고 합니다. 몇 명에게 나누어 줄 수 있고, 몇 개가 남을까요?

식 : 301÷4=75…1　답 : 75명, 1개

⑦ 스티커 236장을 종이 6장에 똑같이 나누어 붙이려고 합니다. 한 종이에 스티커를 몇 장씩 붙일 수 있고, 몇 장이 남을까요?

식 : 236÷6=39…2　답 : 39장, 2장

P 66 ~ 67

3회차 진단평가

제한 시간 10분 / 맞은 개수 /7개

✎ 주어진 곱셈식에 알맞은 나눗셈식을 쓰고 답을 구하세요.

7×6=42

① 머핀 42개를 7명에게 똑같이 나누어 주면 몇 개씩 줄 수 있을까요?

식: 42÷7=6 답: 6개

② 머핀 42개를 한 명에게 6개씩 주면 몇 명에게 나누어 줄 수 있을까요?

식: 42÷6=7 답: 7명

✎ 알맞은 식을 쓰고 답을 구하세요.

③ 놀이터 한 바퀴를 도는 거리는 42 m입니다. 놀이터 2바퀴를 도는 거리는 몇 m일까요?

식: 42 × 2 = 84 답: 84 m

④ 구슬 11개를 꿰어 팔찌 하나를 만들려고 합니다. 팔찌 9개를 만드는 데 필요한 구슬은 몇 개일까요?

식: 11 × 9 = 99 답: 99개

✎ 알맞은 식을 쓰고 답을 구하세요.

⑤ 은주는 우표를 121장 모았고, 유림이는 은주가 모은 우표 수의 4배만큼 모았습니다. 유림이가 모은 우표는 몇 장일까요?

식: 121×4=484 답: 484장

⑥ 국제 공항에서 하루에 출발하는 비행기는 569대입니다. 이 공항에서 6일 동안 출발하는 비행기는 모두 몇 대일까요?

식: 569×6=3414 답: 3414대

✎ □가 있는 나눗셈식과 검산식을 쓰고 답을 구하세요.

⑦ 동화책을 9일 동안 하루에 15쪽씩 읽었더니 5쪽이 남았습니다. 동화책은 모두 몇 쪽일까요?

나눗셈식: □÷9=15…5

검산식: 9×15=135, 135+5=140 답: 140쪽

P 68 ~ 69

4회차 진단평가

제한 시간 10분 / 맞은 개수 /7개

✎ 알맞은 나눗셈식을 쓰고 답을 구하세요.

① 바둑돌 27개를 한 묶음에 3개씩 나누면 몇 묶음으로 나눌 수 있을까요?

식: 27÷3=9 답: 9묶음

② 병아리 45마리를 9상자에 똑같이 나누어 담으면 한 상자에 몇 마리씩 담을 수 있을까요?

식: 45÷9=5 답: 5마리

✎ 알맞은 식을 쓰고 답을 구하세요.

③ 오빠의 나이는 28살이고, 할아버지의 나이는 오빠 나이의 3배입니다. 할아버지는 몇 살일까요?

식: 28 × 3 = 84 답: 84살

④ 흰 바둑돌과 검은 바둑돌이 각각 64개 있습니다. 바둑돌은 모두 몇 개일까요?

식: 64 × 2 = 128 답: 128개

✎ 알맞은 풀이를 쓰고 답을 구하세요.

⑤ 중국 돈 1위안은 우리나라 돈 165원과 같습니다. 8위안은 우리나라 돈 얼마와 같을까요?

풀이: (8위안과 같은 우리나라 돈)
= (1위안과 같은 우리나라 돈) × (몇 위안)
= 165 × 8 = 1320(원)

답: 1320원

✎ 알맞은 식을 쓰고 답을 구하세요.

⑥ 연필 48자루를 4명에게 똑같이 나누어 주면 한 명에게 몇 자루씩 나누어 줄 수 있을까요?

식: 48÷4=12 답: 12자루

⑦ 멜론 78개를 한 봉지에 2개씩 나누어 담으면 몇 봉지에 담을 수 있을까요?

식: 78÷2=39 답: 39봉지

P 70 ~ 71

5회차 진단평가

월 일 / 제한 시간 10분 / 맞은 개수 /7개

✎ 알맞은 풀이를 쓰고 답을 구하세요.

① 도화지 한 장으로 종이배 4개를 만들 수 있습니다. 종이배 32개를 만들려면 도화지 몇 장이 필요할까요?

풀이 : (도화지 수)
= (전체 종이배 수) ÷ (한 장으로 만들 수 있는 종이배 수)
= 32 ÷ 4 = 8(장)

답 : 8장

✎ 알맞은 식을 쓰고 답을 구하세요.

② 집에서 마트까지의 거리는 67 m이고, 집에서 도서관까지의 거리는 마트까지의 거리의 3배입니다. 집에서 도서관까지의 거리는 몇 m일까요?

식 : $67 \times 3 = 201$ 답 : 201 m

③ 승혜는 종이학을 하루에 27개씩 9일 동안 접었습니다. 승혜가 접은 종이학은 모두 몇 개일까요?

식 : $27 \times 9 = 243$ 답 : 243개

✎ 알맞은 식을 쓰고 답을 구하세요.

④ 쿠키가 한 상자에 70개씩 들어 있습니다. 45상자에 들어 있는 쿠키는 모두 몇 개일까요?

식 : 70×45=3150 답 : 3150개

⑤ 문자 메시지 1개를 보내는 요금은 12원입니다. 문자 메시지 64개를 보냈을 때 요금은 얼마가 나올까요?

식 : 12×64=768 답 : 768원

✎ 알맞은 식을 쓰고 답을 구하세요.

⑥ 학생 65명이 춤을 추다가 '7명!'이라는 외침에 7명씩 뭉쳤습니다. 뭉치지 못한 사람을 뺀 나머지는 게임을 계속할 때, 게임을 계속하는 학생은 몇 명일까요?

식 : 65÷7=9···2 답 : 63명

⑦ 94쪽짜리 책을 하루에 4쪽씩 매일 읽으려고 합니다. 책을 남김없이 모두 읽으려면 적어도 며칠 동안 읽어야 할까요?

식 : 94÷4=23···2 답 : 24일

70 C2-곱셈과 나눗셈

진단평가 71